Catalogage avant publication de Bibliothèque et Archives nationales du Québec et Bibliothèque et Archives Canada

Granata, Arnaud
    Le pouvoir de l'échec

ISBN 978-2-89705-478-6

1. Faillite - Québec (Province). 2. Succès dans les affaires - Québec (Province). 3. Hommes d'affaires - Québec (Province) - Biographies. I. Titre. II. Titre : Face cachée de la réussite.

HG3769.C35Q8 2016   658.15   C2016-940635-0

Présidente : Caroline Jamet
Directeur de l'édition : Jean-François Bouchard
Directrice de la commercialisation : Sandrine Donkers
Responsable, gestion de la production : Carla Menza
Communications : Marie-Pierre Hamel

Éditrice déléguée : Nathalie Guillet
Conception graphique : Simon L'Archevêque
Idée de la couverture : Compagnie&cie
Photo de l'auteur : Julie Artacho
Révision linguistique : Natacha Auclair
Correction d'épreuves : Marie Auclair

L'éditeur bénéficie du soutien de la Société de développement des entreprises culturelles du Québec (SODEC) pour son programme d'édition et pour ses activités de promotion.

L'éditeur remercie le gouvernement du Québec de l'aide financière accordée à l'édition de cet ouvrage par l'entremise du Programme de crédit d'impôt pour l'édition de livres, administré par la SODEC.

Nous reconnaissons l'aide financière du gouvernement du Canada par l'entremise du Fonds du livre du Canada (FLC).

LES ÉDITIONS **LA PRESSE**
7, rue Saint-Jacques
Montréal (Québec)
H2Y 1K9

ARNAUD GRANATA

LE POUVOIR DE L'ÉCHEC

Préface d'Alexandre Taillefer

LES ÉDITIONS **LA PRESSE**

À mes parents,
à Maxime, à Vincent.

TABLE DES MATIÈRES

PRÉFACE

Il n'y a aucun doute, l'entrepreneuriat est un sport risqué. Le succès n'est jamais garanti, et quoique l'expérience nous permette de mieux calculer les risques, cela demeure une pratique ancrée dans l'incertitude et qui demande beaucoup de confiance en soi, de détermination et de persévérance.

Inévitablement, les entrepreneurs vivent de nombreux échecs sur leur parcours vers la réussite. Les défaites ne constituent cependant pas une finalité, mais un pas dans la direction du triomphe. Pourtant, l'échec demeure un sujet difficile : on ne veut pas admettre ses faiblesses.

On apprend par la formation et les conseils des autres, certes, mais rien n'est un meilleur apprentissage que de se planter. Cela nous apprend non seulement à forger nos convictions et à persévérer quand on nous dit non, mais aussi à savoir lâcher prise et à reconnaître la défaite pour passer à d'autres projets d'envergure. La ligne entre la persévérance et l'acharnement est mince. Dans tous les cas, l'insuccès nous en apprend beaucoup sur le monde des affaires et aussi sur nous-mêmes.

Sur mon parcours, la faillite de ma seconde entreprise, Jeux Hexacto, a été évitée de peu. Cela a été difficile, mais c'est le projet qui m'a le plus appris. Je garde de ce passage aux créances spéciales d'une banque un souvenir presque nostalgique.

On ne souligne pas assez l'importance de l'erreur dans la formation d'entrepreneurs intrépides. Il y a en affaires une phobie des naufrages qui nuit au développement d'un milieu entrepreneurial stimulant au Québec. Ici, l'échec est une étiquette dont on se débarrasse difficilement. Ici, quelqu'un qui a fait faillite est marqué au fer rouge.

C'est de cette nécessité qu'est né *Le Pouvoir de l'échec*, œuvre compilant entrevues avec des entrepreneurs, un professeur, une psychologue et autres professionnels racontant leur expérience de la défaite et explorant notre relation avec le succès en tant que société. C'est un pas vers la réforme de la discussion sur le succès, afin de changer le dialogue tant dans le monde des affaires que dans nos relations interpersonnelles. Il faut déstigmatiser l'insuccès et favoriser la prise de risque.

Ce livre s'attaque aux tabous concernant l'échec en détaillant principalement des expériences difficiles, mais aussi de grandes valeurs nées de l'expérience des entrepreneurs les ayant vécues. Il peint un tableau honnête et brillant de notre esprit entrepreneurial et de notre cran, au Québec. Il vous inspirera, je l'espère, à suivre vos instincts et vos rêves et à faire le saut pour réformer non seulement votre propre vie, mais aussi, par ricochet, notre province. À travers des entrevues authentiques avec certains des professionnels les plus courageux du pays, Arnaud Granata relate les plus belles réussites du milieu en détaillant les épreuves à surmonter en chemin.

Je vous souhaite une belle lecture et surtout beaucoup de succès – et d'échecs – dans vos entreprises.

— **Alexandre Taillefer**

ET SI ON PARLAIT D'ÉCHEC ?

«Alors, ton livre, c'est sur quoi ? »

Quand j'ai dit à ma famille que je m'apprêtais à écrire un livre sur l'échec, on m'a d'abord demandé s'il s'agissait d'une plaisanterie. Parler d'échec ? Pour quoi faire ? Qui a envie d'entendre parler de ça ? Et en quoi ai-je une quelconque légitimité pour en parler ? «Arnaud, m'a dit ma mère au téléphone, tu as 34 ans, tu diriges ta propre entreprise, tu as cumulé je ne sais combien de diplômes avec mention et tu fais plus de projets qu'il n'y a de jours dans une année pour les réaliser. Alors, c'est quoi, ton échec, mon chéri ? »

Voilà. A priori, c'est vrai, tout va plutôt bien. Pourtant, croyez-moi, elle est une succession d'échecs, ma vie. Mis à la porte de ma première école, j'ai aussi échoué la majeure partie de mes concours d'entrée dans les grandes écoles parisiennes de lettres. Je n'ai pas eu ce stage à New York que je convoitais tant, j'ai dû abandonner la musique faute de talent, je n'ai jamais réussi à décrocher un seul rôle après mon école de théâtre et 80 % des idées que j'ai au quotidien ne voient jamais le jour. Et je vis encore aujourd'hui avec une peur abyssale de ne pas réussir ce que j'entreprends.

«Ce sont les échecs bien supportés qui donnent le droit de réussir.»
— Jean Mermoz,
Aviateur français

J'ai passé les 10 dernières années à essayer de dompter cette peur, à accepter que je ne réussisse pas tout, ni dans ma vie professionnelle ni dans ma vie personnelle. Monsieur Soichiro Honda, l'industriel japonais derrière les voitures éponymes, a déjà, dans une entrevue, dit la chose suivante : « Beaucoup rêvent de succès. À mon sens, le succès ne peut-être atteint qu'après une succession d'échecs et d'introspections. En fait, le succès représente 1 % de votre travail, qui comporte, lui, 99 % de ce que l'on peut appeler un échec. » Cela m'a un peu rassuré. Un peu.

Mais je ne livrerai pas dans ce livre mon analyse personnelle, qui, à bien y penser, n'en vaut pas tant la peine. D'autant plus qu'à l'origine, ce projet de livre devait porter sur la réussite d'entrepreneurs québécois. Et en approfondissant mon sujet, en rencontrant quelques-uns de ces gens d'affaires, je me suis rendu compte d'une chose frappante : le point commun de leur réussite, c'était aussi une vision particulièrement décomplexée de l'échec. Et des échecs, ils en avaient eu des tas ; les miens, à côté, semblaient assez dérisoires. Dans une société qui valorise la performance, tant au travail que dans sa vie personnelle, le contraste avec ces entrepreneurs qui n'avaient pas peur d'échouer m'a marqué : et si nous avions tous quelque chose à tirer de leur façon de voir les choses ? Alors je suis parti de mon expérience, aussi modeste soit-elle, pour tenter de répondre aux questions que je me pose au quotidien. Et j'ose espérer que je ne suis pas le seul. D'où vient cette peur de l'échec ? Comment la surmonter et réagir devant ses échecs ? Comment définir le succès ? Et de qui peut-on s'inspirer ?

Je suis né en France, là où le mot « échec » est encore plus mal perçu qu'en Amérique du Nord. Neuf ans, c'est le temps qu'il faut là-bas pour se remettre d'un échec professionnel où se réinventer, contrairement à une année au

Danemark, ou six en Allemagne. D'ailleurs, tout entrepreneur ayant fait faillite était marqué jusqu'à récemment en France par « l'indicateur 040 », stigmatisant et marquant pendant trois ans son dossier, l'empêchant de tenter sa chance à nouveau et d'aller chercher de l'argent auprès des institutions bancaires. Lors de mon arrivée en Amérique du Nord, il y a de cela plus de 10 ans, j'ai été fasciné par cette culture de l'essai-erreur, où l'échec professionnel était souvent associé à une preuve d'expérience, ce que les consultants d'affaires appellent « processus d'itération ». Il s'agit pour un entrepreneur de lancer un projet sur le marché même s'il n'est pas complètement au point. Si le projet ne fonctionne pas, alors on va pouvoir isoler les composantes qui ont mené à l'échec et recommencer pour finalement réussir. En anglais, on utilise l'expression *fail fast*, échouer rapidement, pour vite recommencer ensuite. Cette culture de l'échec est en Amérique du Nord étroitement liée au processus d'innovation : plus on va lancer de projets rapidement, plus ces projets vont échouer, plus on va devoir trouver rapidement d'autres idées. L'accélération des technologies a forcé l'apparition de nouvelles entreprises, comme Apple, Facebook, Amazon ou Tesla, qui ont toute la particularité d'avoir à leur tête des entrepreneurs qui valorisent cette culture du « développeur » qui puise son origine dans les méthodes agiles informatiques : lancer des produits non achevés (des versions bêta) et profiter des commentaires d'autres professionnels ou d'internautes pour les améliorer.

Depuis quelques années, le mot échec devient particulièrement à la mode dans la Silicon Valley, berceau des nouvelles technologies et de ces nouvelles entreprises. Un peu partout dans le monde fleurissent des conférences sur l'échec qui se veulent un contrepoids à toutes ces conférences d'affaires qui valorisent les succès. À Montréal même, les deux entrepreneurs Francis Gosselin et Robert Boulos proposent FailCamp, des événements où entrepreneurs, artistes et personnalités politiques viennent parler de leurs échecs : de Mélanie Joly à Ina Mihalache, la pétillante humoriste de Solange te parle, tous vantent cette culture du rebond. Henri Ford, fondateur de l'entreprise automobile éponyme, a déjà dit : « L'échec est simplement l'occasion de recommencer, cette fois plus intelligemment. » Saviez-vous que, selon le magazine *Harvard Business Review*, les grands entrepreneurs connaissent trois échecs pour un succès ? Et si on appliquait ce ratio à notre vie ?

C'est de cette acceptation de l'échec et de cette culture de l'essai-erreur que je veux parler dans ce livre. Dès notre plus jeune âge, on nous apprend à réussir. À l'école, nos professeurs n'ont qu'un mot en tête : la réussite de notre année scolaire. À la maison, nos parents nous récompensent pour nos « bons coups » : un cadeau pour fêter notre fin de parcours scolaire, une tape dans le dos pour la réussite de notre examen de math. Plus tard, les concours professionnels et les compétitions sportives nous enseignent qu'il faut forcément être le premier pour réussir et que notre vie sera donc une quête du succès. D'ailleurs, au moment d'écrire ces lignes, le cinéaste québécois Xavier Dolan vient de remporter le prestigieux Grand Prix du Festival de Cannes pour son film *Juste la fin du monde*. Et tous les médias de souligner qu'il s'agit « du second prix en importance après la Palme d'Or » et que ce prix est plus important que celui reçu pour *Mommy*, son précédent film, qui lui avait reçu le Prix du Jury. Comme quoi il faut toujours aller vers « le mieux » et viser l'excellence à tout prix, peu importe le projet ou la cause. Et c'est précisément ce que plusieurs spécialistes des sciences sociales que j'ai interrogés pour ce livrent déplorent : la quête perpétuelle du mieux, qui développe chez chacun de nous un sentiment permanent d'insatisfaction. Parmi les entrepreneurs que j'ai rencontrés, plusieurs ont réussi à trouver un équilibre entre leur besoin naturel de réussir ce qu'ils entreprennent et leur poursuite du bonheur. D'autres, même s'ils sont traumatisés à l'idée d'échouer, se « jettent dans la gueule du loup » et en tirent des leçons.

Aucune institution ne nous apprend à échouer, du moins à accepter que l'échec fasse partie de la vie. Mieux, qu'il est essentiel à notre processus d'émancipation parce qu'il nous oblige à prendre des risques, à essayer, à recommencer. Et surtout, à travailler. Moi, cela m'a pris 10 ans à comprendre que la meilleure chose qui avait pu m'arriver dans ma vie jusqu'à présent, c'est d'avoir connu ces échecs. Certains m'ont appris à persévérer pour finalement réussir certaines choses, d'autres m'ont forcé à prendre un autre chemin, à abdiquer.

Ce livre, je l'ai conçu comme une quête : pendant plusieurs mois, en marge de mon travail d'entrepreneur, j'ai rencontré à la fois un spécialiste de l'éducation, une psychologue, une sociologue, un philosophe et un économiste pour mieux comprendre ce que sont l'échec et la réussite dans notre société, mais j'ai aussi mené plusieurs entrevues avec des personnalités qui connaissent le succès : de jeunes entrepreneurs, des gens d'affaires confirmés, mais aussi des personnalités des médias. Alors que tout le monde n'a d'yeux que pour leur réussite, j'ai aussi voulu qu'ils me parlent de leur rapport à l'échec.

Si l'image de la réussite est telle que nous vénérons ceux qui semblent tout avoir (les chanteurs populaires, les entrepreneurs, les comédiens ou les animateurs) tous ont connu de cuisants échecs et ont dû trouver le moyen d'y faire face et d'affronter cette peur de ne pas réussir tout le temps.

Que pouvons-nous apprendre de ces gens à qui tout semble réussir? Quel rapport ont-ils avec leur succès et comment appréhendent-ils leurs échecs? Comment aborder nos échecs et en parler sans tabou? Les rencontres que j'ai faites m'ont aidé, rassuré, motivé. J'espère que la lecture de ce livre en fera tout autant pour vous.

MON PREMIER ÉCHEC

ARNAUD GRANATA

Vous souvenez-vous de votre premier échec? De la première fois où vous avez été envahi par ce sentiment trouble, mélange de rage, de découragement, de honte et de fatalité? Fouillez votre mémoire, cela ne sera pas trop difficile à trouver. Généralement, à l'instar du premier baiser, on n'oublie pas son premier échec.

Je n'ai jamais raconté cette histoire, peut-être parce qu'il y a certaines choses dont on n'est pas particulièrement fier...

C'était un 18 mai. J'avais 15 ans. Quand mes parents m'ont déposé devant le grand bâtiment du Conservatoire de musique, à Metz, ma ville natale, en France, je savais que tout ne se passerait pas comme prévu... Quelque chose comme un pressentiment. Il faisait déjà chaud pour un matin de mai. Ma convocation était dans moins d'une heure, et tout le monde se pressait déjà devant l'imposante porte de verre de la rue du Paradis. Cette petite rue ombragée portait (ironiquement) bien son nom.

« La chute n'est pas un échec. L'échec, c'est de rester là où on est tombé. » — Socrate

J'ai monté deux par deux les marches du grand escalier de marbre qui séparait l'entrée principale de la salle d'examen, mon étui vert bouteille dans une main, ma partition dans l'autre. J'ai poussé la porte et j'ai entendu mon nom : « Granata, dans 30 minutes. »

À 12 ans, je suis entré au Conservatoire dans un programme d'études pour jeunes musiciens. Mon père, lui aussi musicien, m'avait initié à la musique dès l'âge de trois ans. Et quand je dis initié, je dois plutôt dire que j'avais été pris en charge très jeune par une professeure pour enfants qui m'avait mis une baguette de bois dans les mains dès trois ans et demi pour m'apprendre le rythme. Et j'ai commencé le violon quand j'en avais quatre, par les soins de Mme Reminmaïer, une professeure très dure, sombre et rigide, qui pensait faire de moi le prochain soliste d'un orchestre bien en vue. Les souvenirs de ces interminables heures d'étude restent intacts dans ma mémoire. Je me rappelle très bien que chaque semaine, Mme Reminmaïer me répétait que je n'étais pas au niveau, que je devais travailler plus si je voulais réussir.

« Menton. Épaule. Doigté. Piano. Plus fort. » C'était les mots que j'entendais le plus, tous les jours, criés à mon oreille pendant que je jouais. Enfin, pendant que j'essayais de jouer. Des quelques enfants choisis pour son cours autoritaire, je devais être celui qui repartait toujours la tête basse, la mine défaite de n'avoir pas bien réussi. À force de stages et de concours, à force de travail, de répétitions, de doigts lacérés par les cordes, à force de sorties annulées avec les copains pour apprendre ce Bartók qui me donnait du fil à retordre, j'ai réussi à me faire accepter au Conservatoire de musique de la région. Un quasi-exploit tellement je devais manquer de talent. Une réussite aux yeux de mes parents et de mes proches. Tout le monde était bien content de me voir ainsi déjà accéder à l'école la plus prestigieuse de la région. Moi aussi. Cela avait bien valu ces heures de solfège, ces après-midi en chorale, ces week-ends de retraite où l'on ne faisait que jouer et ce bruit lancinant du métronome qui me rappelait à la mesure.

L'examen de ce jour-là devait me faire passer au cycle supérieur, celui qui allait former «les musiciens de la prochaine génération», comme ne cessaient de le répéter nos professeurs, visiblement obsédés par notre réussite. On a appelé mon nom à l'heure indiquée sur ma convocation, avec la précision quasi militaire et habituelle du Conservatoire. Je suis entré dans la salle principale. Tout avait l'air si vaste ! Devant moi, une longue table et six juges. Professeurs, directeurs, musiciens, critiques : je n'en connaissais pas la moitié. Qu'importe. Je devais jouer. J'ai fait de mon mieux. Enfin, je crois. J'ai respecté à la lettre ce que j'avais appris. Les doigts. L'archet. Le menton droit. Un peu plus droit. L'élan. La respiration.

Voilà, ça a été fini.

On ne m'a pas raccompagné à la porte, mais on m'a remercié.

Entouré de quelques camarades, j'ai attendu quatre bonnes heures dans la petite pièce d'à côté. Enfin, peut-être deux, mais cela m'a semblé une éternité. Tout le monde se taisait. Peu importe, je n'avais pas vraiment d'amis au Conservatoire. À l'exception peut-être de Paul. Il était passé juste après moi. Nous avons attendu que tout le monde s'exécute. J'entendais certains jouer juste, d'autres fausser. Certains sortaient en pleurant, d'autres avaient sur le visage cet air satisfait de ceux qui savent déjà qu'ils ont réussi. Une atmosphère de compétition flottait partout dans le Conservatoire cette journée-là. Tout le monde se dévisageait, et tout le monde se demandait, j'imagine, qui aurait la meilleure note, la meilleure mention.

Le jury a délibéré longtemps. Les juges ont ensuite demandé que tout le monde entre dans la grande salle pour nous annoncer les résultats. Nous étions sagement rangés sur l'estrade en face du jury, là où j'avais joué quelques heures plus tôt. Les mains moites, je me suis caché en haut, juste derrière Paul. Mes pieds, eux, s'enfonçaient dans cette vieille estrade en bois qui devait en avoir vu d'autres. À mesure que les noms étaient déclamés, j'entendais les petits cris et les pleurs autour de moi. Certains de joie, d'autres de déception.

Et puis ce « Granata ». Mon cœur s'est resserré un peu plus fort. Mes doigts se sont crispés un peu plus derrière mon dos.

« Non admissible. Redoublement non autorisé. »

Des juges présents, je ne me rappelle plus la personne qui a fait tomber cette sentence. Je me rappelle seulement la voix si affirmée qui venait de me foutre à la porte de cette institution devant tous les autres. J'ai pris ces mots en pleine figure. Rien que d'écrire ces lignes, j'en ai encore mal à l'estomac. Non seulement j'avais échoué à cet examen si important, mais on ne me permettait pas de le repasser. On me montrait la porte. Devant tout le monde. Car c'est bien ce que voulait dire « redoublement non autorisé » dans le jargon du Conservatoire. C'est ce que redoutent le plus les élèves. Être si irrécupérables qu'il faille les virer. Ces heures d'études, ces sacrifices vains, ces moments entre amis que je n'avais pas eus... J'avais l'impression que le sol se dérobait sous mes pieds.

« Ne pas pleurer. » C'est ce que je me répétais, inlassablement, dans ma tête. Ils étaient tous là : profs, juges, élèves. Et moi. Quand je suis sorti de la salle, une fois tous les verdicts rendus, j'ai filé vers la sortie, la tête basse, pour ne croiser le regard de personne. Mon visage plein de honte et mes larmes refoulées ont suffi à confirmer à mes parents que c'en était fini. Dans leurs regards à eux, j'ai rapidement cru voir la déception et une sorte de désolation. J'étais un tout jeune adolescent et, déjà, on savait qu'il n'y aurait pas de fils musicien prodige.

J'aurais pu continuer. J'aurais pu travailler plus fort pour prouver à tout le monde que je pouvais réussir. J'aurais pu. Mais je ne l'ai pas fait. Peu de temps après, j'ai annoncé à mes parents que je ne poursuivrais pas la musique, et j'ai rangé mes violons sous mon lit.

Cet échec m'a marqué et, d'une certaine façon, il a dicté bien des choses dans le reste de ma vie. Bien sûr, j'y ai appris énormément : la force du travail, la notion de talent, le laisser-aller. Mais j'y ai surtout compris une chose : la musique n'était pas pour moi. Je n'avais ni la rage de poursuivre ni l'envie de me dépasser. Depuis, je n'ai plus jamais touché à un violon, jamais rouvert cet étui vert bouteille qui est encore chez mes parents. Mon échec m'a fait prendre conscience que je devais passer à autre chose, tout simplement. Aujourd'hui, je suis ailleurs, et je ne le regrette pas.

Mais cet échec en dit aussi beaucoup sur ce que l'on ne nous apprend pas à l'école et sur ce dont personne alors ne m'avait jamais parlé : on peut entreprendre des choses pour le plaisir et ne pas viser sans cesse la compétition, la réussite ultime ou le dépassement de soi. On peut aussi expérimenter des choses, essayer, se planter et ne pas en faire tant d'histoires. Cet épisode de ma vie a été le point de départ d'une peur chronique de ne pas tout réussir, peur dont j'ai réussi en partie à m'affranchir aujourd'hui en écoutant les échecs des autres et la façon dont ils en ont tiré profit.

LA PEUR DE L'ÉCHEC... ET DE LA RÉUSSITE

L'AVIS DE LA PSYCHOLOGUE ROSE-MARIE CHAREST

Ayant été 17 ans à la tête de l'Ordre des psychologues du Québec, Rose-Marie Charest est la psychologue la plus médiatisée du Québec. Clinicienne, conférencière et consultante, elle organise la conférence Femmes et réussite, qui s'intéresse aux liens entre la réussite professionnelle et personnelle. C'est donc tout naturelle-ment que je me suis tourné vers elle pour parler d'échec. Car il est très clair pour moi que l'aspect psychologique joue un rôle essentiel dans notre perception et notre acceptation de l'échec. Pourquoi est-ce que certains, qui en apparence semblent tout avoir, ont la sensation d'avoir échoué ? Et pourquoi d'autres ont-ils l'impression de vivre des échecs à répétition ? Et surtout, l'échec peut-il être salutaire en affaires ?

COMMENT DÉFINIRIEZ-VOUS L'ÉCHEC ?

L'échec a plusieurs composantes. La première est la composante objective, c'est-à-dire le fait de ne pas atteindre l'objectif que l'on s'est fixé ou que d'autres nous ont fixé. Ensuite, il y a plusieurs composantes subjectives. Pour certaines personnes, par exemple, avoir un A à un examen est un réel échec, parce qu'elles visaient un A+. La composante émotive peut nous mener, elle, à être motivés par un échec et à faire une nouvelle tentative, ou nous brimer dans notre motivation et dans notre énergie. On interprète nos échecs de façon très différente. Souvent, ils sont aussi perçus en fonction de leur dimension sociale : où cela me situe-t-il dans la société ? D'ailleurs, regardez notre fascination collective pour les échecs des personnalités connues. Encore cette semaine, je suis tombée sur un magazine à potins qui parlait de l'échec financier qu'a connu Mitsou il y a déjà longtemps. Des années après, on lui en parle encore !

POURQUOI L'ÉCHEC FASCINE-T-IL AUTANT ?

Je crois que chacun de nous sait très bien intérieurement que nous ne réussissons pas toujours tout ce que nous entreprenons. Les échecs des autres ont quelque chose de rassurant, ils nous prouvent qu'on n'est pas les seuls à échouer ou à avoir échoué. Quand c'est l'échec de quelqu'un qui a finalement réussi malgré les épreuves, il y a quelque chose d'encore plus rassurant. On peut se dire : « Je peux échouer et finir par réussir. » Le problème est quand ces modèles de réussite sont toujours extraordinaires, et que leurs échecs servent leur image. On a tous connu des échecs, ne serait-ce qu'amoureux. La question que je me pose, c'est pourquoi évalue-t-on un individu d'après ses échecs et ses succès ? C'est à peu près comme si nous cherchions une formule mathématique pour réussir. C'est impossible, et c'est beaucoup plus complexe que cela !

AUTOUR DE MOI, CERTAINES PERSONNES DISENT NE JAMAIS AVOIR CONNU D'ÉCHEC. HONNÊTEMENT, EST-CE POSSIBLE ?

Peu de gens sont à l'aise d'avouer (ou de s'avouer) leurs échecs. Moi-même, j'ai très peu parlé des miens. Une personne qui n'aurait jamais connu l'échec serait une personne qui a réussi tout ce qu'elle a entrepris. Elle aurait atteint tous ses objectifs, tenu toutes ses résolutions. Humainement, c'est impossible. Par contre, peut-être que le mot « échec » est un mot que certaines personnes ne réussissent pas à utiliser. L'échec, quoi qu'on en dise, est encore tabou pour la plupart des gens. Et les médias sociaux ne font qu'amplifier le phénomène : sur Facebook, on ne met que la liste de nos succès, rarement celle de nos échecs ! Et si, tous les 31 décembre, on partageait sur nos réseaux la liste des résolutions qui ont été tenues et celles qui ne l'ont pas été ? Regardez aussi lorsque quelqu'un se fait congédier d'un emploi : on passe des ententes et on essaie le plus possible de garder confidentielles les raisons de la séparation.

PENSEZ-VOUS QU'AVEC LE TEMPS NOTRE SOCIÉTÉ AURA UNE MEILLEURE PERCEPTION DE L'ÉCHEC ?

Selon moi, l'image négative de l'échec ne pourra aller qu'en s'accentuant, et ce, en grande partie à cause de l'éducation. Aujourd'hui, nous avons peu d'enfants et nous idéalisons beaucoup leur chemin de vie. On peut les féliciter 15 fois d'avoir attaché correctement leurs chaussures, on leur offre des cadeaux lorsqu'ils réussissent des examens... Mais qui leur apprend à gérer les échecs? À en parler? Plus tard dans leur vie, il n'y aura pas tout le temps quelqu'un à côté d'eux pour leur dire qu'ils sont extraordinaires. Ces enfants survalorisés, suridéalisés vivront comme un échec ce qui n'est pas l'atteinte de cet idéal. Parce que l'échec est dans la comparaison: on évalue le décalage entre là où l'on est arrivé et la place où l'on croyait devoir être (ou celle où d'autres croyaient que nous serions). Voici un exemple

**« Il n'y a pas de réussite facile ni d'échecs définitifs. »
— Marcel Proust**

assez flagrant: une étudiante en médecine me disait qu'elle aurait eu envie d'être médecin de famille, mais que dans l'esprit de ses professeurs, qu'elle admirait, ne pas faire une spécialité était un échec. Ce n'est pas rien! Je ne pense pas que devenir médecin de famille, c'est échouer sa vie! Et pourtant, elle ne vivait pas son choix comme un succès parce que dans le regard de ceux qui la formaient (et qui était devenu son regard à elle à cause de leur forte influence), cela devenait un échec. Et à l'autre extrémité du continuum, il y a des gens qui échouent et qui continuent à faire la même chose, à répéter inlassablement les mêmes erreurs. Par exemple, le nombre de gens qui ont occupé un poste qu'ils n'ont pas aimé et où ils n'ont pas réussi à atteindre les objectifs et qui refont la même chose ailleurs me frappe. Et ils attribuent toujours leurs échecs au hasard ou aux autres, sans jamais se remettre réellement en question ni arriver à se dire que si cela n'a pas fonctionné, c'est peut-être qu'ils y sont pour quelque chose.

VOUS DITES QU'IL Y A DEUX TYPES D'ÉCHECS : CEUX QUI NOUS FONT REBONDIR ET ALLER AILLEURS, ET CEUX QUI NOUS POUSSENT À ÉCHOUER ENCORE, À RÉPÉTITION. CERTAINS SONT-ILS VOUÉS À ÉCHOUER TOUTE LEUR VIE ?

On n'a pas tous les mêmes possibilités en partant dans la vie. D'abord, il y a la chance. Regardez les nouvelles et vous verrez que votre milieu social ou géographique conditionne beaucoup de choses. Maintenant, si je répète toujours le même type d'échec, je ne pense pas que cela soit dû au hasard ou à la malchance. Il y a ce que l'on appelle en psychologie la névrose d'échec, mise en lumière par Freud, puis reprise par beaucoup de gens. En gros, ce principe suppose que vous voyez inconsciemment plus d'avantages à échouer qu'à réussir. Et consciemment, vous pensez avoir peur de l'échec alors qu'en fait, vous vous replacez constamment en situation de probable échec, comme si vous vouliez réparer quelque chose. Vous vous dites : « Cette fois-ci, je vais relever le défi. » En même temps, vous répétez ce que vous connaissez, et parfois on peut être plus à l'aise dans l'échec que dans la victoire ou le succès. En bref, vous vous organisez pour être puni. Bien sûr, ce n'est pas conscient. Regardez dans la vie amoureuse : vous tombez amoureux d'une fille qui a rejeté 15 gars avant vous. La probabilité qu'elle vous rejette est très grande, mais c'est d'elle que vous deviendrez amoureux, et non pas de sa copine qui vous manifeste pourtant beaucoup d'intérêt.

ET C'EST LA MÊME CHOSE DANS UN CONTEXTE DE TRAVAIL ?

J'ai fait assez d'entrevues d'emploi pour vous dire qu'il y a certaines personnes qui s'organisent inconsciemment pour que vous ne les embauchiez pas. Elles vous disent une chose qu'elles savent très bien ne pas devoir dire et que cela les empêchera d'avoir le poste. Un jour, j'ai accompagné un vice-président à l'occasion d'une entrevue pour un poste dans un grand média. Le candidat, lorsqu'on lui a demandé s'il lisait le journal en question, a répondu qu'il lisait seulement le concurrent. En rentrant chez lui, je suis sûre qu'il a dû se dire : « Mais pourquoi est-ce que j'ai dit ça ? » Et je peux vous garantir que cette personne était brillante et éloquente. D'autres m'ont aussi vendu leur personnalité très rassembleuse pour ensuite me dire que leur projet précédent n'a pas fonctionné parce que les autres n'en voulaient pas. Comme s'ils ne s'incluaient pas dans le projet. A-t-on envie d'embaucher une telle personne ?

NÉVROSE D'ÉCHEC

La névrose d'échec est un comportement de nature inconsciente qui consiste à se mettre automatiquement en faillite, à tout faire pour ne pas réussir. L'ultime conséquence de la névrose d'échec est une intolérance totale au succès, aussi petit soit-il.

DONC, AVOIR PEUR DE L'ÉCHEC, EST-CE AUSSI EN QUELQUE SORTE AVOIR PEUR DU SUCCÈS ?

Absolument ! Avoir du succès, c'est aussi avoir plus de responsabilités. Si vous réussissez, vous devez livrer la marchandise, et vous suscitez davantage de compétition et de rivalité, deux composantes importantes de la réussite. La peur du succès est encore plus grande chez les femmes que chez les hommes, parce que réussir pour une femme, c'est aussi devoir répondre à la question : «Si tu réussis dans un domaine, qu'est-ce que tu négliges dans ta vie?» La peur du succès bloque tout autant que la peur de l'échec, même si elle est plus inconsciente.

LA PEUR DE L'ÉCHEC NOUS EMPÊCHE-T-ELLE D'ENTREPRENDRE DES CHOSES ?

Vous savez, certaines personnes bourrées de talent ne font rien parce qu'elles ont peur d'échouer. On voit particulièrement cela chez des gens qui, d'une façon ou d'une autre, ont vécu la honte. À la suite d'un échec, certains se disent «c'est un échec», et d'autres pensent «je suis un échec». Vous pouvez prendre des risques quand vous savez que lorsque vous échouez, c'est une partie bien précise d'un projet ou d'une résolution, et non toute votre personne, qui est concernée. Les personnes qui ont une estime d'elles-mêmes très fragile ont peur d'échouer, car elles seraient démolies par un échec. Au travail comme dans la vie personnelle, elles ne vont pas oser de peur qu'on leur dise «non».

J'AI DE PLUS EN PLUS D'ENTREPRENEURS AUTOUR DE MOI QUI SE LANCENT EN AFFAIRES. EUX NE SEMBLENT PAS AVOIR PEUR…

S'il y a de plus en plus de jeunes entrepreneurs aujourd'hui, c'est que les jeunes ont moins à perdre. Des emplois stables, sécurisants et qui respectent l'équilibre entre vie personnelle et vie professionnelle, il y en a peu. Compte tenu de ce contexte, le risque psychologique est moins grand. La nouvelle génération a vu ses parents ne pas être si heureux au travail, mais garder quand même leur emploi par besoin de sécurité. Elle ne veut pas être confrontée au même problème. Pour les jeunes entrepreneurs d'aujourd'hui, la liberté l'emporte sur la sécurité. Un autre enjeu important, selon moi, c'est la formation : les gens sont plus diplômés, voire surspécialisés. Un jeune finissant m'a dit un jour : « J'ai un cursus d'architecte. J'ai été formé pour construire la place Ville-Marie, et on m'offre de fabriquer des armoires de cuisine. » Les professeurs d'université sont des experts dans des domaines très précis et vous attirent vers le sommet, ce qui est bien, mais ils créent de grandes attentes. Leur indépendance fait envie à bien des étudiants, indépendance que ces derniers retrouvent peu en entreprise. D'ailleurs, Steve Jobs, symbole de cette indépendance en entrepreneuriat, a déjà dit : « Si vous ne réalisez pas vos rêves, quelqu'un va vous embaucher pour que vous réalisiez les siens. » Nous avons éduqué nos jeunes de façon plus libre, et les modèles d'entrepreneurs à succès donnent cette image très attrayante d'une forte liberté d'action. J'entends souvent dire, à tort, que les jeunes veulent travailler moins, ce qui est totalement faux. Un entrepreneur travaille tout autant qu'un salarié, si ce n'est plus. Être entrepreneur, c'est être créatif. Et être créatif, c'est prendre des risques. Nous sommes à l'ère de la créativité. Ce qui pouvait être programmé l'a été. Le reste devra être créé.

DE STEVE JOBS À MARK ZUCKERBERG EN PASSANT PAR ELON MUSK, LES ENTREPRENEURS SONT DEVENUS LES NOUVELLES *ROCK STARS* DES MÉDIAS ET DE NOTRE CULTURE POPULAIRE. ET ILS N'HÉSITENT PAS À METTRE EN AVANT LEURS ÉCHECS COMME DE VÉRITABLES FORCES. AVEC EUX, L'ÉCHEC EST-IL MOINS TABOU ?

Je l'espère, mais c'est quand même difficile de s'identifier à Steve Jobs. On est plutôt influencé par des gens dans lesquels on peut se reconnaître. Je pense que ce qui nous permettrait de prendre plus de risques, c'est de développer une image plus globale de nous-mêmes et de notre vie, c'est-à-dire voir un échec comme une expérience parmi d'autres. C'est non seulement très difficile quand on est jeune, mais en plus, notre formation ne nous aide pas. Notre cursus scolaire repose, dans bien des programmes, sur la réussite de différentes étapes. Un succès en entraîne un autre. Et un échec peut nous coûter notre scolarité. Dans certains programmes, par exemple, pour être accepté au doctorat, il faut que la moyenne au baccalauréat soit de A ou de A+. Quand vous avez un B, ce n'est pas banal, parce que cette note peut vous priver de l'atteinte de vos objectifs, et donc vous conduire à un échec. Je déplore le fait que l'on n'ait pas une vision plus globale des gens lorsqu'on les sélectionne. Choisir ceux qui ne réussissent que leurs examens, c'est aussi avoir plus de gens qui ne prendront pas de risques. Alors oui, ces entrepreneurs peuvent éventuellement dédramatiser l'échec, mais il faut se pencher sur la base du problème : l'éducation.

MAIS PARLER DE SES ÉCHECS, CE N'EST PAS TOUT...

Non. Qu'Elon Musk parle de ses échecs ou les mette en scène, en soi, ce n'est rien de plus qu'une stratégie d'image. Pour que cela ait une influence, encore faut-il qu'il parle du processus de ses échecs pour nous en faire réellement comprendre le résultat. Idem pour le succès.

SYNDROME DE L'IMPOSTEUR

L'expression «syndrome de l'imposteur» a été inventée par deux psychologues, Pauline R. Clance et Suzanne A. Imes, en 1978. Ce syndrome amène certaines personnes à rejeter le mérite lié à leur travail et à attribuer leur succès à des éléments extérieurs, comme la chance ou leurs relations. Selon Clance, de 60 à 70 % des personnes douteraient, à un moment ou à un autre de leur vie, de la légitimité de leurs succès. Mais ce syndrome peut aussi amener certains à continuellement avoir peur de réussir, ce qui les empêche de développer leur plein potentiel. Dans un cas, l'*overdoing* consiste à travailler plus fort pour justifier la réussite par le travail, et dans l'autre cas, l'*underdoing* consiste à en faire moins pour échouer, pour ainsi attribuer l'échec à la malchance.

J'AIMERAIS VOUS PRÉSENTER MON EXEMPLE PERSONNEL. MIS À LA PORTE DU CONSERVATOIRE DE MUSIQUE À 15 ANS, PUIS DEVANT DES ÉCHECS RÉPÉTÉS EN THÉÂTRE, J'AI FINI PAR TOURNER LA PAGE. J'AURAIS PU PERSÉVÉRER, MAIS JE NE L'AI PAS FAIT. QU'EST-CE QUI NOUS POUSSE PARFOIS À ALLER VOIR AILLEURS, À NE PAS PERSÉVÉRER ?

Cela s'appelle le rebond. C'est la résilience, soit le fait de prendre acte d'un événement traumatique et de se reconstruire. Vous avez eu la chance de croire en vous globalement et de ne pas juste croire dans le musicien en vous. Cela me fait penser à cette histoire: dans une émission de variétés où des enfants performaient, diffusée en France et au Québec, l'animateur accueille un jeune garçon, un petit violoniste. Il en fait l'éloge, le présentant comme le digne fils d'un grand violoniste. Le petit garçon, qui a à peine cinq ans, commence à jouer et rencontre immédiatement une difficulté. Il repose alors son archet au sol et, devant toute l'assistance, s'écrie : «Ça suffit!» J'étais impressionnée! À cinq ans, il avait déjà senti cette pression énorme sur lui et il avait su l'arrêter de son propre chef.

VOUS DITES DONC QUE LE REGARD DES AUTRES INFLUENCE NOTRE PERCEPTION DE L'ÉCHEC ?

Il faut faire la distinction entre échouer à ses propres yeux et échouer aux yeux des autres. La pression des parents peut être énorme. Même si elle n'est pas voulue, la comparaison avec ses parents peut amener un enfant à échouer à ses propres yeux. Par exemple, prenez ma fille, qui étudie en psychologie : pendant des années, elle n'a pas utilisé mon nom, mais celui de son père. Parfois, le bagage familial est lourd à porter. La pression que nous subissons, les objectifs que les autres (parents, professeurs, etc.) fixent pour nous peuvent aussi nous pousser à vouloir ne pas réussir. C'est pourquoi il est important de connaître les raisons de nos échecs. Désirez-vous vraiment réussir? Cela se pourrait-il que votre échec ne soit pas un acte manqué, mais un acte réussi? Vous savez, réussir à ne pas réussir, c'est quelque chose de courant...

Tout au long de ma carrière, j'ai vu des gens me dire : «Je ne sais pas ce que j'ai, j'ai tout pour réussir, mais je ne me sens pas bien.» Et ils ont fini par comprendre qu'ils étaient devenus médecins ou avocats parce que c'était le rêve de leurs parents. J'ai déjà entendu un père me dire, à la sortie de la pouponnière : «Je l'ai, mon petit avocat.» Alors, bien entendu, il n'y a pas de quoi appeler la DPJ – parce que l'on est d'accord que ce ne sera pas un enfant négligé –, mais laisser son enfant être propriétaire de son propre désir, c'est une grande richesse. Un enfant se questionne sans cesse : «Si j'échoue, est-ce que l'on m'aimera quand même?» Ne valoriser que ses succès et sa réussite, c'est aussi l'empêcher d'affronter ses propres échecs.

Si on veut réussir quelque chose, il faut que les différentes composantes soient réunies : notre désir, notre talent, notre énergie et les conditions extérieures. Il y a des gens bourrés de talent qui ne veulent pas entreprendre des choses parce qu'ils n'en ont pas envie. Il y a par contre des gens qui ont moins de talent, mais un désir tellement fort d'entreprendre qu'ils vont canaliser toute leur énergie pour réussir. Et ils vont réussir, car leurs chances sont plus grandes ! Si le désir n'est pas clair, on n'est pas près d'avancer. La connaissance de soi, ce n'est pas uniquement la connaissance de ses qualités et de ses défauts, c'est aussi la connaissance de ses désirs. Il y a des gens qui se rendent très loin dans une carrière, sans talent ou sans compétence particulière, mais ils ont tellement voulu qu'à force de travail, ils ont réussi.

POURQUOI IDÉALISE-T-ON CEUX QUI RÉUSSISSENT EN AFFAIRES, QUITTE À SE DÉVALORISER SOI-MÊME, À SE PLACER EN SITUATION D'INFÉRIORITÉ ?

Parfois, on peut penser que la place est prise. « Il n'y aura pas de deuxième Ricardo ou de deuxième Guy Laliberté. » Cela peut freiner certaines personnes. Mais il ne faut pas oublier que réussir, c'est atteindre ses objectifs à soi. Tout le monde ne veut pas devenir Ricardo ! Nous idéalisons des personnalités publiques parce qu'on ne voit qu'une partie de leur vie : leur succès. On ne perçoit que très peu leurs doutes, leurs remises en question. Le point commun de ceux qui réussissent à atteindre leurs objectifs, c'est d'abord qu'ils se visualisaient en train de réussir. Dans une entrevue, René Angelil a un jour confié que Céline Dion, dans son salon, en voyant une grande chanteuse américaine, lui a lancé : « Moi, je serais capable de faire ça. » Savoir se projeter en train de réussir, c'est important, ne serait-ce que pour savoir si le moment est bon pour se lancer. Il faut aussi se poser cette question : « Une fois que j'aurai réussi ce que je veux réussir, serai-je heureux ? »

EST-IL PERMIS D'ÉCHOUER DANS TOUS LES DOMAINES ? PRENEZ LA MÉDECINE : IL ME SEMBLE QUE L'ÉCHEC EST BEAUCOUP PLUS TABOU DANS CE DOMAINE QUE DANS CELUI DES AFFAIRES...

Les cliniciens savent qu'ils peuvent échouer, et un professionnel ne peut pas garantir de résultat. On a un devoir de moyen (prendre les meilleures mesures possible), mais pas un devoir de résultat. Je me rappelle les paroles du chirurgien cardiaque qui avait réussi une difficile opération sur ma petite sœur. Quand je l'ai remercié et félicité, il m'a dit : « Non, ne me félicitez pas, parce qu'il se peut que j'échoue l'opération que je vais faire cet après-midi. » Il ne prenait pas ses échecs comme des échecs personnels, non plus que ses succès. C'est un élément important, qui dépasse la médecine : dans le succès comme dans l'échec, l'équipe et les facteurs environnementaux sont essentiels. C'est impossible que tout le poids de l'échec repose sur les épaules d'une même personne. Même chose pour les honneurs du succès. Prenez un peu de recul par rapport aux processus d'échec et de succès, et vous verrez qu'une personne n'est jamais responsable de tout. C'est aussi une meilleure façon de faire dégonfler un ego et d'amoindrir la sensation d'échec personnel. Donc, échouer ou réussir, c'est l'issue d'un processus. Pour reproduire le succès, il faut comprendre ce processus.

POUR ALLER PLUS LOIN

Laforgue, René. *Psychopathologie de l'échec*, Paris, Payot, 1939.

Pauline Rose Clance. *Le complexe d'imposture, ou comment surmonter la peur qui mine votre réussite*, Paris, Flammarion, 1992.

ELON MUSK

FAIRE AVANCER LE MONDE
UNE ERREUR À LA FOIS

Elon Musk est un homme d'affaires et un ingénieur installé à Los Angeles. C'est lui qui a mis sur pieds SpaceX, Tesla et SolarCity, trois entreprises qui visent respectivement à démocratiser les vols sur la planète Mars, à vendre des voitures complètement électriques et à en faire la norme, et à généraliser l'utilisation d'énergies solaires et de remplacement . Rien de moins ! Adepte du *fail fast*, qui consiste à rapidement tester des prototypes de produits sur le marché pour voir s'ils fonctionnent, il fait publiquement état de ses échecs sur les réseaux sociaux et ne s'en cache pas. Un bon exemple : quand la mission SpaceX a échoué au début de 2016, il a dit aux médias : « Je ne m'attendais pas à ce qu'on réussisse, mais la mission suivante a plus de chances de succès. » Décomplexé par rapport à l'échec, il est de ceux qui pensent qu'il faut échouer rapidement et souvent pour réussir plus vite des innovations majeures.

SE LIBÉRER DU REGARD DES AUTRES

ERIK GIASSON

COFONDATEUR,
LE STUDIO DE YOGA
WANDERLUST

Je suis arrivé au 7, avenue Laurier Est, à Montréal, par un matin de février. Il était un peu moins de 8 h. J'ai monté quatre à quatre les marches de l'entrée du studio de yoga Wanderlust, car j'avais quelques minutes de retard. Je dois le dire d'emblée, je ne suis pas un adepte de yoga. Le calme me fait peur et je suis aussi souple qu'un bâton de bois. Erik m'attend à la réception. Dans un coin près du vestiaire, une jeune femme fait des étirements dignes d'une contorsionniste. « La classe commence dans cinq minutes », me dit Erik.

Jambe droite à l'intérieur de la main droite, pied gauche dans la main gauche. Inspirez. Expirer. La demi-noirceur dans la grande salle de l'avenue Laurier et la chaleur de la pièce me plongent dans un état de demi-sommeil. J'ai du mal à maintenir les positions, je regarde à gauche et à droite pour tenter de reproduire les figures de mes voisins de tapis. Comme c'est mon premier cours, Erik m'a installé à l'arrière de la salle. Je le regarde déambuler entre les participants, corrigeant tantôt une position, dictant tantôt chacun des mouvements dans un langage que je ne comprends qu'à moitié. En fond musical, un DJ près de la fenêtre mixe des sons électros reposants.

Dans le film *The Wolf of Wall Steet*, de Martin Scorsese, le personnage de Jordan Belfort, courtier en Bourse interprété par Leonardo DiCaprio, semble invincible. Son ascension est fulgurante, et sa chute le sera tout autant. L'histoire du Québécois Erik Giasson ressemble à s'y méprendre à celle de ce personnage, à quelques exceptions près : malversation et prison en moins, yoga en plus.

Erik naît dans un petit quartier de Laval, en banlieue de Montréal. Il est l'aîné de la famille, et son père et son grand-père sont médecins. « Très jeune, j'ai compris que j'étais le fils du médecin dans le quartier. À l'église ou à l'école, je faisais attention à ma façon de m'habiller ou de me tenir. J'ai vite assimilé le fait que j'avais un rôle, à cause de ma famille. » À son entrée au collège, Erik devient président de sa classe et quart-arrière au football. « Je n'aimais pas particulièrement être quart-arrière, mais c'était une position prestigieuse, et j'avais l'image d'un dur, d'un gars invincible. Ça fonctionnait bien, et j'attirais les plus belles filles. » Se nourrissant du regard des autres, il devient le garçon populaire, celui qu'on envie pour son habitude de se dépasser. Pour son premier emploi, Erik en cherche un à la mesure de son image : il travaillera en finance internationale.

Il rêve de grosses transactions, de voitures de luxe, de New York et de Wall Street, de marchés changeants. Après des études à HEC Montréal en finance, il envoie son curriculum dans une banque américaine à Montréal, la Republic National Bank of New York. « Après avoir envoyé ma candidature, j'ai tout de suite appelé le directeur. Je lui ai dit qu'il était hors de question que j'attende des semaines avant de recevoir une lettre impersonnelle des ressources humaines pour me dire que je n'étais pas pris. Je voulais ce boulot. Il m'a reçu en entrevue l'après-midi même et j'ai eu l'emploi. Deux semaines plus tard, j'ai reçu une lettre des ressources humaines pour me dire que ma candidature n'avait pas été retenue!» À 26 ans, Erik monte rapidement les échelons. Il est le «dur» de la bande. «Je n'avais peur de personne, j'allais chercher de gros clients.»

LE PRINCE DE NEW YORK

À 28 ans, il est repéré par des dirigeants de la banque Morgan Stanley. Dans les années 1990, il plie bagage avec sa femme et ses deux enfants pour Wall Street et devient vice-président du bureau des obligations dans la Grosse Pomme. «J'ai vécu la démesure. Je prenais le Concorde pour aller à des réunions à Paris ou à Londres, je dormais au Savoy, et mon garage débordait de Porsche et de Ferrari. Un chauffeur m'attendait dans tous mes déplacements. Et on fumait des cigares, comme dans *Mad Men*.» Dans cette vie – qui ressemble à s'y méprendre à celle des personnages de cette série télé sur les balbutiements de la publicité –, il vend sa maison de Laval, achetée 150 000 dollars, pour un logement de 1 000 000 de dollars à New York. On lui propose rapidement un autre poste de direction, encore plus important, à Toronto celui-là, toujours pour la prestigieuse banque américaine. À cette époque, il ne se rend pas encore compte que malgré le succès de sa vie professionnelle, il est aussi fragile, à fleur de peau. «Pour passer d'un bureau à l'autre, les ressources humaines nous demandaient une recommandation du psychologue du bureau. J'ai donc passé deux heures avec lui, à lui parler de ma vie et de mon travail. Je me souviens très bien qu'il m'a dit qu'il allait me recommander, mais avec de grosses réserves. Il me sentait à fleur de peau, très investi, mais aussi très vulnérable, et il avait peur que je m'effondre s'il arrivait quelque chose à ma femme ou mes enfants. Il avait raison. » Il n'est rien arrivé à la femme d'Erik ni à ses enfants. Par contre, à lui, oui.

« Je commençais ma semaine de travail les dimanches soir, vers 19 h, en appelant la Bourse de Tokyo. Je n'arrêtais plus de la nuit, je suivais les marchés : Londres, New York... » En une nuit, Erik fait des transactions de 200 000 000 millions, raflant au passage quelques millions pour lui. À 30 ans, il habite l'un des quartiers les plus chers de la ville, ayant pour voisins les plus grandes fortunes financières du Canada. « Le jour de mon trentième anniversaire, ma femme m'attendait à la maison avec une banderole sur le perron. Un voisin est venu sonner pour savoir qui était le petit cul de 30 ans qui habitait une telle maison. » Mais cette vie de luxe ne le satisfait pas : « Je travaillais tout le temps. J'étais épuisé, je me demandais quand la vraie vie allait commencer. Un jour, ma femme, se voulant rassurante, m'a dit que c'était pour bientôt. Je ne voyais pas le bout. » En même temps, paradoxalement, Erik a besoin de plus d'argent, de plus de responsabilités. Il semble constamment insatisfait. Lorsque je lui demande s'il avait la sensation d'avoir « réussi » sa vie à cette époque, Erik n'a pas l'air convaincu.

LES COUPS DURS

Après réflexion, il quitte Morgan Stanley pour revenir avec ses enfants et sa femme à Montréal. Il devient gestionnaire de portefeuille : « Mon salaire a baissé de 70 %, mais j'ai accepté pour revenir à Montréal et avoir une meilleure qualité de vie. » Rapidement, il rachète des parts de son bureau pour en devenir actionnaire. Il emprunte 1 500 000 dollars, ses économies de New York et Toronto s'étant en grande partie envolées dans ses folles dépenses de l'époque. L'année 2000 sera marquée par la chute du marché technologique, qui a eu un impact et une résonance partout dans le monde. L'entreprise d'Erik perd 85 % de sa valeur : « J'avais 35 ans et je valais moins 1 500 000 dollars. La valeur de l'action de l'entreprise est passée de 14 dollars à 1,75. » C'est un moment très difficile pour lui, mais il continue néanmoins à faire son travail.

Puis, en 2001, son médecin lui apprend qu'il a un cancer. « Ça a été un choc, mais, en même temps, je me suis senti vivant, humain. J'avais tellement de pression pour entretenir l'image du dur, du gars invincible, que cette épreuve m'a remis les pieds sur terre. » Pendant ses traitements à l'hôpital, il tente le contact humain et se découvre une qualité d'écoute qui ne l'a pas quitté : « J'ai appris que les gens ne pouvaient pas vraiment parler de ce qui leur arrivait, leurs proches leur demandant souvent d'être forts, battants, alors qu'eux ne voulaient qu'exprimer leur douleur, mentale ou physique. » Il commence à se familiariser avec la méditation et le bouddhisme. Encore aujourd'hui, il garde cette habitude du dialogue et accompagne les gens atteints du cancer dans des groupes de discussion.

Un an plus tard, autre coup dur : sa femme le quitte pour un de ses amis. « Je pensais avoir touché le fond et, en même temps, d'une certaine façon, je me libérais de l'image dans laquelle j'étais enfermé depuis des années. » Fragile financièrement, physiquement et mentalement, Erik se remet tout de même de son cancer et travaille à rebâtir son entreprise, avec succès. En parallèle, il commence à faire des Iron Man, ces triathlons de 226 km qui enchaînent la nage, le vélo et la course à pied. Homme de défis, il se jette à nouveau à corps perdu dans son travail. « Je ne sais pas pourquoi, mais je suis revenu dans mon rôle. La maladie et ma séparation ne m'ont pas arrêté. » Toujours à Montréal, il n'en a pas assez et envie de nouveau la vie démesurée de ses anciens collègues de New York. « J'en voulais encore plus. Je ne me sentais pas assez nourri. »

Il réussit à décrocher le poste de ses rêves à New York, chez Brevan Howard, l'un des plus grands fonds d'investissement du monde. Là-bas, il s'attend à vivre la démesure puissance 10. « Mon salaire annuel était l'équivalent d'un gros lot du 6/49. Certains de mes collègues, les meilleurs, pouvaient gagner l'équivalent de trois gros lots du Lotto Max par année. » Mais tout ne se passe pas comme prévu, et il perd son emploi, à peine arrivé en poste, alors que survient la crise financière de 2008, lors de laquelle plus de 50 000 personnes du monde de la finance sont licenciées. « Je me sentais nu, sans identité. Je me suis rendu compte bien plus tard qu'on cherche toujours la reconnaissance de quelqu'un. Nos parents nous élèvent dans cette optique. Moi-même, en tant que père, je me surprends à féliciter mes enfants lorsqu'ils vont dans ma direction et à les réprimander s'ils vont dans le sens contraire. »

Il traverse un autre trou noir, celui-là encore plus profond que les précédents. Dépression, pensées suicidaires, folles dépenses. Erik vient quasiment à bout de ses économies. Il continue de faire des achats personnels sur les marchés financiers : « Je jouais mon argent comme le gars aux machines à sous qui veut se refaire pour survivre. » On lui propose un poste en Australie, pour un fonds d'investissement. Après un voyage sur place, il refuse l'emploi. Ce sera la dernière fois qu'on lui proposera quelque chose dans son domaine. Quand je lui pose la question, il semble regretter de ne pas avoir saisi cette occasion professionnelle : « Je crois que, professionnellement, ça aurait sûrement été intéressant et ça m'aurait remis dans le circuit. Mais je crois que j'aurais été aussi malheureux que les fois précédentes. » Parallèlement, une sérieuse blessure à la jambe l'empêche de poursuivre ses triathlons. Il se met à la pratique du yoga et décide de suivre un stage intensif en Californie. « J'en avais besoin pour faire le vide. » Dans sa pratique quotidienne, il retrouve force et bien-être. « Le yoga m'a permis d'exister au-delà de mon image sociale. De juste être bien. »

DE FINANCIER À MAÎTRE YOGI

De retour à Montréal, sans emploi, il envisage de devenir professeur de yoga pour avoir son propre studio. Il entreprend alors une formation : « Le soir où je remplissais ma demande, j'ai pensé que je signais mon arrêt de mort professionnel. Ça a été un choc. » C'est ce choc qui le pousse à vendre la quasi-totalité de ses biens, Ferrari comprise. À la suite de sa formation, il rencontre, à New York, la propriétaire du studio de yoga Kula, dont il est adepte, en espérant pouvoir en ouvrir une franchise à Montréal. Finalement, la propriétaire l'oriente vers une autre bannière dont s'occupe son conjoint, Wanderlust. Avec sa partenaire Geneviève Guérard, ancienne première danseuse des Grands Ballets canadiens de Montréal et animatrice au studio de l'avenue Laurier, il ouvre un studio qui aura tôt fait de devenir un incontournable à Montréal. L'esprit d'entrepreneur d'Erik n'a pas disparu. « Être entrepreneur, c'est saisir les occasions et répondre à un besoin. Dans mon cas, ce besoin était aussi le mien. »

L'un des grands constats d'Erik Giasson, c'est d'avoir compris, au milieu de son parcours professionnel, que l'on fait bien souvent des choses pour plaire à notre entourage : nos parents, notre famille, nos professeurs...

Apprendre à se libérer du regard des autres, c'est aussi accéder à une certaine forme de liberté, celle de pouvoir se construire selon ses propres envies et désirs.

Vouloir tout le temps tout contrôler empêche bien souvent de réaliser des projets, ou du moins cela peut sérieusement freiner la réalisation de certains rêves.

Erik l'a appris au cours de sa vie. Lâcher prise, c'est aussi profiter pleinement du moment présent, parfois en revoyant ses attentes à la baisse. «Lâcher prise ne veut pas pour autant dire être dans son salon à ne rien faire : il faut continuer d'être dans l'action.» Une belle façon d'être surpris !

Aujourd'hui, Erik Giasson conseille des entrepreneurs et veut que son expérience serve d'exemple à d'autres. Son parcours lui a appris à accepter le fait qu'il est humain et qu'il est important de trouver un équilibre entre sa tête et son cœur. «Je me sens libre, et c'est en grande partie parce que je me suis libéré du poids du regard des autres et que j'accepte de ne pas tout contrôler.» Il n'a rien perdu de son intérêt pour la finance et les marchés, mais il consacre son temps à son studio. «Mon banquier, lui, préférait le compte en banque de mon ancienne vie !»

ASSUMER L'ESSAI ET L'ERREUR

ETHAN SONG ET HICHAM RATNANI

FONDATEURS,
FRANK & OAK

Lorsque je suis sorti de l'ascenseur de l'immeuble de la rue Saint-Viateur, au sixième étage, je suis tombé sur un groupe de jeunes barbus, en jeans et en espadrilles, attablés à l'entrée d'un immense loft. Ici, visiblement, pas de réception : il faut s'avancer vers l'un des bureaux pêle-mêle, esquivant tantôt un vélo, tantôt une boîte de chandails pour hommes. Je viens rencontrer Ethan Song et Hicham Ratnani, les fondateurs de la marque de vêtements pour homme Frank & Oak.

Fondée il y a trois ans, l'entreprise a un modèle bien particulier : la majeure partie de ses ventes se fait par Internet, et des boutiques « vitrines » poussent un peu partout au Canada (Montréal, Toronto, Vancouver, Calgary, Halifax). Présentée par de prestigieux magazines internationaux pour son modèle innovant (dont dans le *top 10* des entreprises les plus innovantes selon le magazine américain *Fast Company*), l'entreprise croît aussi de plus en plus du côté des États-Unis.

« Ça te dérange si je mange mon lunch ? » Pendant qu'Ethan tente de s'extirper de sa réunion sur le lancement de la prochaine collection, Hicham sort de sa boîte en plastique la salade d'épinards qu'il s'est préparée la veille à la maison. La salle de réunion est flanquée de deux panneaux de contreplaqué pas très droits. On est très loin de l'ambiance lunch d'affaires, et encore plus des patrons des grandes tours de bureaux du centre-ville.

Ethan Song et Hicham Ratnani sont des amis insépa-rables depuis l'enfance. «On prenait l'autobus jaune en-semble tous les matins!» Ethan naît en Chine et émigre au Canada à l'âge de six ans avec sa famille. Son père fait son doctorat en physique et sa mère tient une boutique de souvenirs dans le quartier chinois. Hicham, lui, naît à Montréal et est le fils d'un immigrant marocain qui a étu-dié dans le textile. Ils se sont connus au secondaire, sur la rive sud de Montréal. «On jouait au football ensemble et on habitait le même quartier. On a commencé à pas-ser beaucoup de temps ensemble tous les deux.» Leur premier projet entrepreneurial, ils le réalisent à l'âge de 15 ans, alors qu'ils décident de créer des sites Internet pour de petites entreprises. Leurs routes se séparent à l'université : Ethan s'installe à Vancouver pour étudier en génie électrique et en informatique et Hicham étudie dans le même domaine, mais il choisit l'Université McGill, à Montréal. Passionné par les arts, Ethan travaille à des projets de production théâtrale et explore les limites de l'art et de la technologie. Quant à Hicham, il s'investit à fond dans le sport en plus de ses études universitaires. Bien qu'ils vivent loin l'un de l'autre, les deux amis ne se perdent pas de vue.

Après leurs études et quelques voyages, ils se re-trouvent à Montréal avec un désir commun : se lancer dans un projet ensemble. «On était intéressés par plu-sieurs choses à l'époque : l'énergie verte, le mobile et le commerce électronique, où l'on voyait déjà plusieurs possibilités.» C'est vers ce dernier domaine qu'ils se tournent pour créer leur première «vraie» entreprise : Modasuite. Le concept? Des chemises sur mesure com-mandées en ligne à Montréal et expédiées par la poste.

Après 18 mois d'existence, ils arrivent à la croisée des chemins : trouver de nouveaux investisseurs ou lancer un autre projet. « Modasuite, notre première entreprise, n'était pas un échec. On avait réussi à trouver du financement et à embaucher une trentaine d'employés. Ça roulait, mais on s'est rendu compte qu'on pouvait avoir une idée encore plus porteuse. » Ils décident donc de créer une marque de vêtements exclusivement vendus en ligne. Avant de fermer leur première entreprise pour bâtir Frank & Oak, ils décident de la conserver comme plan B et de voir leur nouveau projet comme un test, une expérience. S'ils avaient du succès, ils y investiraient tout leur temps et leurs ressources ; sinon, ils retourneraient développer Modasuite.

« Parfois, on a tendance à se plaire dans un projet qu'on maîtrise, dans lequel on est à l'aise. Nous, on avait aussi envie d'explorer, de prendre des risques et de voir où cela allait nous mener. Tout recommencer sur une feuille blanche, mais en bénéficiant de notre expérience passée. » Cela fonctionne, puisque seulement 3 mois après le lancement du site, ils embauchent 70 personnes et sont submergés de commandes. Mais créer et développer une entreprise ne se fait pas sans défis : « On a des hauts et des bas. Être entrepreneur, c'est aussi accepter d'être en montagnes russes », selon Hicham. « Ce qui nous intéresse, plus que le succès, dit Ethan, c'est le processus pour y arriver. »

VOIR GRAND ET ACCEPTER LES PETITS ÉCHECS

Les deux amis ne le cachent pas, ils voient grand : « On veut créer une marque internationale basée à Montréal. Une marque de vêtements de notre génération qui aura l'influence des Ralph Lauren et autres qui ont marqué les années 1980 », dit Ethan Song. Sont-ils heureux de leur réussite ? « Pour le moment, on est vraiment loin de notre rêve, de notre but. Est-ce qu'on est étonnés de notre croissance ? Non, on croit au potentiel de notre entreprise. » Certains pourront dire qu'ils sont prétentieux, mais la plupart pourront saluer leur esprit d'entrepreneurs visionnaires pour qui tout, ou presque, est possible. La clé de leur succès, pour eux, c'est la liberté d'action : « On contrôle tout, dit Hicham. Notre image, nos processus, le produit. »

Et l'échec, dans tout cela ? Selon Ethan, ils le vivent tous les jours. « Bien sûr, on ne parle pas d'un échec total, mais d'échecs du quotidien. Des investisseurs qui refusent de nous donner du financement, des objectifs de vente qui ne sont pas atteints... » « Même si un projet échoue, nous, on n'échoue jamais, renchérit Hicham. C'est une philosophie de vie. »

Et leur philosophie est simple : plus on essaie, plus on a de chances de réussir. « Selon nous, la persévérance et l'effort qui te poussent à essayer encore et encore diminuent les risques d'échecs à long terme, parce que tu tires des apprentissages de ces expériences et que tu peux les appliquer ensuite dans d'autres projets. » Et les entrepreneurs en série, que l'on pense à Mark Zuckerberg ou à Elon Musk, en savent quelque chose. Les deux entrepreneurs préfèrent parler d'essais et erreurs que d'échecs. «C'est le principe du *fail fast*, qui veut que l'on teste un produit rapidement et que si cela ne fonctionne pas, on en trouve un autre», dit Hicham. «Même si le produit échoue, l'entreprise doit tenir debout et durer. Et c'est exactement ce que fait le patron de Tesla en lançant des voitures et des batteries ou en essayant de conquérir l'espace!», renchérit Ethan. S'ils sont d'accord pour dire que le mot «échec» est à la mode en ce moment, c'est surtout parce que la nouvelle génération d'entrepreneurs doit vivre avec une économie du tout numérique et qu'elle doit être très flexible et réactive. «Avant, une entreprise pouvait prendre des années pour innover. Aujourd'hui, on n'a plus le choix d'aller très vite, c'est ce que commande le Web et c'est aussi de là que vient cette philosophie de l'essai et erreur», dit Ethan. C'est donc une bonne chose selon eux d'assumer certains échecs constructifs tout en étant bien conscient que l'on doit tout faire pour éviter l'échec total qui, lui, est beaucoup plus dur à surmonter.

LES ENTREPRENEURS, LES NOUVELLES *ROCK STARS*?

Les entreprises de Silicon Valley (Google, Facebook, Twitter, Apple) sont aujourd'hui très ancrées dans la culture populaire. Les films et les articles dans les magazines *lifestyle* sur les fondateurs de ces entreprises sont légion. Être entrepreneur aujourd'hui, c'est *sexy*. Et plus que l'argent qu'ils gagnent, c'est surtout leur liberté que l'on envie. Pour Hicham Ratnani, être entrepreneur d'une *start up*, ce n'est pas une carrière ou un métier, c'est un style de vie dont l'agilité serait le maître mot. « Lorsque nous avons commencé, il y a trois ans, on pensait pouvoir atteindre tous nos objectifs dans nos trois premières années d'existence. Ça n'a pas été le cas. Il faut prendre du temps pour comprendre son marché, s'entourer de bons partenaires et bien maîtriser son produit. » Ils ont donc appris que le temps et la persévérance sont capables de rendre leur entreprise plus forte. « Nous ne voulons pas juste laisser un compte en banque à la fin de notre carrière dans Frank & Oak. Nous voulons créer un héritage, une marque forte qui nous survivra et avec laquelle les suivants pourront développer beaucoup de choses », dit Hicham.

Quel conseil pourraient-ils donner à ceux qui veulent entreprendre un projet ? Pour Ethan, il s'agit de « s'assurer de trouver un espace libre, de créer quelque chose de nouveau ». En effet, si cela existe déjà, pourquoi refaire la même chose si vous ne pouvez faire mieux ? Et ce qui les inspire ? Ils veulent changer les choses, au-delà du désir de faire de l'argent : « On peut vouloir changer les choses socialement ou économiquement. Créer de nouveaux modèles, de nouvelles façons de faire. Avec Frank & Oak, nous avons maintenant une certaine responsabilité par rapport à l'écosystème des *start ups* montréalaises. »

ASSUMER L'ESSAI ET L'ERREUR

Inspirés par la nouvelle génération d'entrepreneurs de Silicon Valley, Ethan et Hicham prônent l'essai et l'erreur dans le développement de leur entreprise. Ce principe, ils l'ont appliqué de la naissance de leur marque Frank & Oak jusqu'au développement de nouveaux produits. Les deux amis, depuis le début de leur aventure, poursuivent un grand rêve : bâtir une marque internationale forte et pérenne basée à Montréal. Cette grande ambition est transmise au quotidien, dans tous les projets, aux différentes équipes internes.

Et ces deux entrepreneurs ont appris que l'agilité compte pour beaucoup dans leur succès. Être capable de changer de stratégie si certains objectifs ne sont pas atteints, ne pas hésiter à se développer rapidement, engager les meilleurs sans tarder ou encore accepter parfois de ne pas remplir tous ses critères de réussite, c'est aussi démontrer sa capacité à être réactif dans un marché économique mouvementé. Hicham parle de montagnes russes pour décrire leur vie entrepreneuriale. « Pour passer au travers et rester accroché, il faut du courage et de la flexibilité. » Les aléas de l'évolution de leur entreprise semblent les rendre plus forts et les forcent à réagir plus rapidement, à trouver des solutions pour éviter les échecs plus importants.

Alors qu'Elon Musk veut conquérir l'espace, je gage que ces deux-là n'ont pas fini d'essayer et de trébucher, mais qu'ils décrocheront la Lune !

JOANNE ROWLING

UNE BAGUETTE PAS TOUJOURS MAGIQUE

L'histoire de Joanne Rowling, alias J. K. Rowling, a fait le tour du monde et illustre bien à quel point la détermination est importante dans la réussite, tout comme le facteur chance. Alors qu'elle écrit le premier tome de la série *Harry Potter* en 1990 (elle mettra ensuite sept ans à écrire cette suite romanesque), elle voit son manuscrit refusé de nombreuses fois. Après une sérieuse dépression, elle décide de persévérer et trouve finalement un agent qui veut la faire publier. La suite de l'histoire, nous la connaissons. Aujourd'hui, au-delà du succès des livres, Harry Potter est une lucrative franchise qui a vu naître films, produits dérivés... et même un parc d'attractions!

L'ÉCHEC, LE PRIX DE LA RÉUSSITE ?

L'AVIS DE L'ÉCONOMISTE FRANÇOIS DELORME

François Delorme est économiste. Il enseigne au Département de sciences économiques de la Faculté d'administration de l'Université de Sherbrooke. Il est professionnel de recherche à la Chaire en fiscalité et dirige sa propre firme de consultation. On peut fréquemment le voir dans les médias, notamment à *RDI Économie*.

Quand on parle d'échec, l'argent est forcément un élément qui influence de façon importante la perception que l'on peut en avoir. Et parce que François Delorme a été économiste en chef à Industrie Canada et qu'il a occupé les fonctions d'économiste principal à l'Organisation de coopération et de développement économique (OCDE) à Paris, sa proximité avec les entrepreneurs en fait l'expert tout désigné pour me parler d'échec et de réussite. D'autant que nous avons tendance à penser que la réussite équivaut à gagner de l'argent rapidement, comme c'est le cas des grands entrepreneurs d'aujourd'hui, de Steve Jobs à Elon Musk. Ce sont eux qui ont popularisé la notion d'échec et ouvert la discussion au sujet de l'importance d'en parler.

POURQUOI L'ENTREPRENEURIAT EXERCE-T-IL UNE TELLE FASCINATION ?

Vous savez, un jour, j'étais avec des collègues dans un événement de recrutement pour l'Université, un de ces événements où chaque département donne de l'information aux étudiants avant qu'ils fassent leur choix de programme. J'étais donc au stand du Département de sciences économiques, et il y avait à côté de nous un stand relatif à l'entrepreneuriat. Eh bien, tout le monde s'y pressait pour avoir de l'information sur les cours et sur les débouchés de carrière, et nous, nous n'avions personne ! Le Département d'entrepreneuriat pouvait voir passer 50 étudiants quand nous n'en avions que 2. On se demandait vraiment ce qu'ils avaient que nous n'avions pas. Et comme on a eu du temps pour regarder ce qui s'y passait, j'ai découvert que la plupart des étudiants avaient une grande motivation : faire de l'argent le plus rapidement possible. En comparaison, l'économie peut sembler aride et déconnectée de la réalité, avec une grande dominance de mathématiques, tandis que l'entrepreneuriat, lui, est concret : que vous ayez un projet ou une idée, peu importe, on peut vous aider à concrétiser le tout. C'est très attrayant pour de jeunes étudiants !

ON A L'IMPRESSION QUE LES ENTREPRENEURS N'ONT PAS LA MÊME CRAINTE DE L'ÉCHEC QUE LE RESTE DE LA POPULATION, ET BIEN DES ENTREPRENEURS N'ONT PAS SUIVI DE CURSUS SCOLAIRE CLASSIQUE, OU À TOUT LE MOINS ONT-ILS DES PROFILS PLUTÔT ATYPIQUES. Y AURAIT-IL UN LIEN ?

Je ne sais pas s'il y a forcément un lien entre le fait de ne pas avoir étudié dans un domaine particulier et la crainte de l'échec, mais je crois beaucoup à la polymathie, ou connaissances horizontales, soit la connaissance approfondie d'un grand nombre de sujets, en particulier dans le domaine des arts et des sciences. Les grands esprits – on peut penser à Einstein ou à Aristote – n'étaient pas formatés dans un cursus en particulier, ils avaient acquis un grand nombre de connaissances dans des domaines variés. Pour être entrepreneur, ça prend une bonne dose de créativité, et il faut avoir plusieurs cordes à son arc pour faire aboutir un projet. Les entrepreneurs font face à de nombreux échecs et doivent pouvoir les affronter en utilisant diverses connaissances. Si on revient en arrière, au Siècle des lumières, par exemple, on valorisait beaucoup l'horizontalité. Les grands esprits pouvaient être massothérapeutes et chimistes, sculpteurs et avocats en même temps. Cela leur permettait d'avoir un large spectre et une vue ouverte sur la vie qui les entourait.

> **« Je n'ai pas échoué. J'ai seulement trouvé dix mille moyens qui ne fonctionnent pas. »**
> **— Thomas Edison**

CES CONNAISSANCES HORIZONTALES N'EXISTENT-ELLES PLUS AUJOURD'HUI ?

Oui, cette valorisation de l'horizontalité existe encore aujourd'hui, mais surtout en Europe, moins en Amérique du Nord. Quand je suis arrivé en Europe pour travailler à l'OCDE, j'étais vu comme un chirurgien de l'économie. J'ai été engagé comme spécialiste de certains modèles économiques extrêmement rares à ce moment-là. Quand je discutais avec mes collègues belges, français, suisses ou allemands, je me rendais compte d'un vrai décalage entre eux et moi. Ils avaient une vue beaucoup plus globale d'un enjeu et tenaient compte des contextes économiques, sociologiques et psychologiques pour aborder une problématique. Moi, mon cursus était vraiment plus vertical, et la complémentarité avec ces collègues au cursus plus horizontal m'était essentielle.

SÉRENDIPITÉ

La sérendipité est le fait de faire une découverte scientifique ou technique de façon inattendue, à la suite d'un concours de circonstances. Bien souvent, cette découverte se fait alors que l'on cherchait quelque chose d'autre. Un exemple ? On peut penser à Christophe Colomb qui, en cherchant une nouvelle route des Indes, a fait la découverte européenne du continent américain. Dans le milieu des affaires, il est commun que les entrepreneurs découvrent le potentiel d'un produit alors qu'ils travaillaient sur autre chose. Frank & Oak, la marque de vêtements pour hommes montréalaise née sur Internet, en est un bel exemple (*voir la page 52*). Parfois aussi, la sérendipité arrive après un échec qui nous permet de voir quelque chose que l'on n'avait pas vu. C'est le cas du Viagra, découvert par l'entreprise pharmaceutique Pfizer dans le cadre d'études pour un médicament contre l'hypertension artérielle. Le médicament se révéla inefficace à traiter cette affection, mais on découvrit qu'il avait des effets secondaires inattendus... L'entreprise décida alors de commercialiser le premier médicament pour lutter contre les troubles érectiles, réalisant au cours de sa première année plus de 1 000 000 000 de dollars de ventes et faisant du Viagra l'un des médicaments phares du groupe.

ET LES ENTREPRENEURS ?

Aujourd'hui, les entrepreneurs équipés pour dépasser leurs échecs sont les plus performants. Pour ceux-là, un échec est une façon de tirer des leçons et d'apprendre à recommencer. Ils ont une vision plus globale de l'échec et sont capables d'en avoir une vision holistique : un échec n'est pas une défaite, c'est une occasion. Ils ne regardent pas l'échec pour ce qu'il est, mais pour ce qu'il peut leur apprendre pour la suite. Ils se disent « cet échec m'emmène ailleurs », et ils savent que sans cet échec-là, ils n'auraient pu arriver là où ils sont aujourd'hui. L'échec fait partie d'un tout, et c'est dans cette optique qu'ils le considèrent, ce qui change profondément la donne. Ce socle-là est fondamental pour tous ceux qui veulent entreprendre des choses. Un échec est une façon de se dire « je n'ai pas regardé le problème avec les bonnes lunettes, il faut que j'ajuste ma façon de voir les choses ». Et ce n'est vraiment pas à l'université que l'on apprend à échouer et à en tirer une leçon. L'université nous apprend la comptabilité, l'optimisation fiscale, le marketing, mais pas vraiment à se relever de nos échecs. Et être entrepreneur, c'est beaucoup plus que de mener une bonne campagne de publicité. Les jeunes entrepreneurs ont une attitude saine par rapport à l'échec.

QUAND ON PARLE D'ÉCHEC ET DE RÉUSSITE, IL ME SEMBLE QUE L'UN DES FONDEMENTS DE NOTRE PERCEPTION, C'EST LE FAIT DE GAGNER OU DE PERDRE DE L'ARGENT, NON ?

Oui, l'argent est important, mais pas seulement. C'est le moteur de base, surtout dans le milieu des affaires : les entrepreneurs veulent vivre de leur projet, et donc faire de l'argent. Mais être entrepreneur, c'est beaucoup plus que cela : tu ne comptes pas tes heures, tu fais tout, de la comptabilité au marketing, et il faut plus qu'une simple motivation purement pécuniaire pour persister. D'ailleurs, je pense que l'image de l'entrepreneuriat véhiculée par les universités est parfois un peu réductrice : on vend l'argent facile, et c'est tentant pour un jeune qui débute à l'université, car les jeunes d'aujourd'hui, au contraire des générations passées, ne se sentent plus coupables de faire de l'argent. Les entrepreneurs qui persisteront verront l'échec comme un cadeau, une façon d'apprendre. Même si l'argent est important dans la perception de la réussite ou de l'échec, il n'est jamais le seul élément que l'on prend en compte. Il y a aussi toute la question de la gratification immédiate : les entrepreneurs qui performent le plus ne se disent pas qu'il faut que cela aille vite, ils sont au contraire très ouverts et doivent faire preuve d'humilité tout au long de leur parcours. Et qui dit patience dit aussi apprentissages, et non échecs en chemin. Je crois beaucoup à cette vertu de ne pas toujours tout réussir pour apprendre des choses. C'est pourquoi les valeurs psychologiques des entrepreneurs sont intéressantes : leur pouvoir d'intuition, leur passion et leur résilience les rendent en quelque sorte similaires à celles des artistes.

POURTANT, L'ENSEMBLE DE LA SOCIÉTÉ, ET EN PARTICULIER L'ÉCONOMIE, FAIT TOUT POUR MINIMISER LES RISQUES D'ÉCHEC...

C'est vrai ! On vit dans une économie qui privilégie l'efficacité, mais on ne bâtit pas une société sur la seule efficacité. La créativité est essentielle : d'ailleurs, un entrepreneur créatif peut-être moins efficace à court terme, mais il s'inscrira dans la durée parce que, comme un artiste, l'entrepreneur doit faire face à un certain nombre de risques, savoir se mettre en danger. Et qui dit risque dit incertitude, qui dit incertitude dit improvisation. Il faut trouver des solutions qui sortent de l'ordinaire pour régler des problèmes complexes. Lorsque j'étais économiste en chef, on essayait de trouver la recette des entreprises qui réussissent. Nous avions choisi quelques entreprises d'ici, comme le Cirque du Soleil ou encore Electronic Arts, pour déterminer les ingrédients de leur succès et mieux comprendre comment les appliquer à d'autres. On s'est rendu compte que oui, la comptabilité, le fonds de roulement, toutes ces choses plus tangibles étaient importantes, mais que « la » chose qui distinguait une entreprise performante d'une autre, c'était la créativité et la qualité des gestionnaires. Guy Laliberté aime dire qu'il valorise le chaos et le conflit. Pourquoi ? Parce que c'est du chaos qu'émane l'incertitude et que cela force les gestionnaires à avoir des idées qu'ils n'auraient pas eues autrement. Lorsque tout est formaté, sécurisé, planifié, on a tendance à s'immobiliser, à ne pas avancer. Et la créativité, c'est une matière importante dans l'économie, parce que c'est ce qui distingue une entreprise d'une autre. Et cela, les étudiants en gestion ne l'apprennent pas à l'école. Cette capacité d'adaptationlà, elle se développe.

AUJOURD'HUI, LES GRANDES MULTINATIONALES ESSAIENT D'INSTAURER CETTE CULTURE ENTREPRENEURIALE, CETTE CULTURE DE LA CRÉATIVITÉ. Y A-T-IL UNE RECETTE ?

Avec des collègues, nous avons longtemps cherché cette recette. Nous avons voulu comprendre ce qu'était une entreprise modèle. Nous avons tenté d'isoler quelques variables pour ensuite dire aux entreprises : « Voilà ce sur quoi vous devez travailler pour vaincre la concurrence et vous démarquer. » Mais l'équation s'est révélée un peu plus complexe : le succès d'une entreprise réside dans un bon équilibre entre la créativité et la souplesse. Mais quelles en sont les proportions ? C'est impossible à déterminer. La qualité de la gestion dans les grandes entreprises, c'est ça le secret ! Et c'est presque un art : cultiver cette ouverture et voir l'échec comme un cadeau pour apprendre et non comme une fatalité, cela devrait s'enseigner à l'université ! Je crois que les gestionnaires et entrepreneurs devraient suivre un cours d'échec 101. En économie, il est facile d'enseigner l'optimisation du profit. C'est ce que je fais dans l'ensemble de mes cours, nous faisons des équations mathématiques. Mais il est plus difficile d'enseigner l'échec, basé sur des qualités humaines. Et je crois qu'il est essentiel : on ne peut être un entrepreneur à succès si on ne connaît pas l'échec.

LE SAVIEZ-VOUS ?

En Amérique du Nord, l'échec entrepreneurial est mieux perçu qu'en Europe. Selon une étude commandée en 2016 par Fleur Pellerin, ministre française de la Culture et des Communications, la France est le pays d'Europe ou l'on met le plus de temps à rebondir après un échec professionnel (soit neuf ans en moyenne). Aussi, près de 70 % des Français pensent qu'un échec scolaire est une cassure qui peut irrémédiablement infléchir leur vie. Ce profond enjeu culturel d'une société plus rigide par rapport aux notions de réussite et d'échec se fait même sentir du côté des banques, qui, avant 2013, attribuaient une cotation (indicateur 40) à tout entrepreneur qui avait déposé son bilan au cours des trois années précédentes, contraignant grandement la création d'une nouvelle entreprise après un échec. En Amérique du Nord, sous l'influence des entreprises technologiques de Silicon Valley, la culture de l'échec devient quasiment l'argument marketing des entrepreneurs qui ont réussi.

SOICHIRO HONDA

UN EXEMPLE REMARQUABLE
DE REBOND DANS
L'INDUSTRIE AUTOMOBILE

Il a donné son nom à la célèbre marque de voitures japonaises, mais a été recalé lors d'une entrevue pour un poste d'ingénieur chez Toyota. Il a donc décidé de créer des motocyclettes et a finalement fondé sa propre entreprise, qui est rapidement devenue la plus grande productrice de moteurs au monde. À propos de son succès et de sa réussite, Soichiro Honda a dit : « Beaucoup rêvent de succès. À mon sens, le succès ne peut être atteint qu'après une succession d'échecs et d'introspections. En fait, le succès représente 1 % de votre travail, qui comporte, lui, 99 % de ce qu'on appelle un échec. »

SAVOIR S'ENTOURER

MARTIN JUNEAU

CHEF ET COPROPRIÉTAIRE,
PASTAGA, CUL-SEC, CAVE ET CANTINE,
MONSIEUR CRÉMEUX, LE PETIT COIN

Habituellement, je teste très peu les nouveaux restaurants à la mode à Montréal. Je préfère attendre quelques mois (voire des années) avant de m'y aventurer, tant chaque nouvelle table qui ouvre devient forcément « la » place du moment, ringardisant du même coup toutes celles qui, depuis des années, s'évertuent à bâtir une clientèle dans un milieu extrêmement difficile. Bref, j'avais entendu l'histoire du premier restaurant du chef Martin Juneau, la Montée de lait, une table abordable offrant une expérience un brin gastronomique. Puis, quelques années plus tard, j'ai retrouvé Martin dans une publicité de McDonald's vantant la qualité des hamburgers. Forcément, quelque chose avait dû se passer entre les deux.

Martin m'a donné rendez-vous à son nouveau restaurant, le Pastaga, ouvert depuis quelques années déjà, un lundi matin alors que l'établissement était fermé, pour me raconter son histoire.

À la tête de plusieurs adresses à Montréal avec son associé Louis-Philippe Breton, dont le Pastaga, reconnu en 2012 par le magazine *En Route* comme étant l'un des meilleurs restaurants au Canada, Martin Juneau semble avoir un parcours irréprochable. On le voit dans son émission télé à Zeste et régulièrement dans les pages de plusieurs magazines. À même pas 40 ans, il a déjà ouvert plusieurs établissements, et si son succès peut sembler éclatant à bien des égards, sa véritable histoire est bien différente.

Martin Juneau n'a jamais été un mauvais élève, mais il n'a jamais aimé l'école non plus : « Je faisais le strict minimum et, à part le dessin, rien ne me passionnait vraiment dans ce que j'apprenais. Je n'étais pas très attentif, et à bien y penser, j'étais paresseux à l'école. » Rien ne le destinait à passer sa vie derrière les fourneaux, pas même ses parents : « Ma mère était infirmière et mon père, opérateur de machinerie lourde. Ma culture culinaire était assez basique ! » À 19 ans, il ne s'imaginait pas faire carrière en cuisine. C'est un emploi dans un hôpital qui va le convaincre du contraire : « J'ai commencé à travailler dans les cuisines d'un hôpital psychiatrique, à Rivière-des-Prairies, et je m'amusais beaucoup. En fait, l'équipe en cuisine, c'était les *cools* de la place. Et j'avais une super qualité de vie. Ça m'a pris beaucoup de temps avant de faire autant d'argent en cuisine par la suite ! » En parallèle, il termine son cours de cuisine à l'Institut de tourisme et d'hôtellerie du Québec (ITHQ), dont il ne garde pas particulièrement un bon souvenir : « J'ai étudié là parce que c'était le seul endroit pour apprendre la cuisine, mais je voulais terminer vite pour aller travailler. » Après quelque temps à l'hôpital, il comprend néanmoins que la vraie cuisine, il l'apprendra dans les restaurants : « Je voulais m'épanouir ailleurs, et j'ai compris qu'une cuisine d'hôpital, ce n'était pas vraiment de la cuisine au sens où je l'entendais. » Il travaille au Pistou, sur l'avenue du Mont-Royal, aujourd'hui fermé. Au bout d'un an, il décide de plier bagage pour s'installer à Vancouver : « J'ai réalisé que si je voulais gravir les échelons, il fallait que j'aille ailleurs faire d'autres expériences. Tout recommencer à zéro, c'était un gros défi pour moi. » Il travaille quelque temps au restaurant Lumière, à Vancouver, puis il revient à Montréal pour suivre un cours de cuisine supérieure, toujours à l'ITHQ : « Plus que le cours, c'est le stage à l'étranger qui m'intéressait. J'ai fini par aller à Dijon, en France. » Il fait ses classes en cuisine gastronomique à l'Auberge de la Charme, un établissement réputé dans la région pour sa cuisine du terroir.

Après son stage, il revient à Montréal et commence à cumuler les expériences, d'abord comme sous-chef, puis comme chef, dans des établissements comme la Bastide, le Club des Pins, les Caprices de Nicolas ou encore Derrière les fagots, tous fermés aujourd'hui. C'est en 2004, alors qu'il est âgé de 26 ans, qu'il déniche un petit local à l'angle des rues de Grand-Pré et Villeneuve : « Je n'avais presque pas d'argent, mais je voulais vraiment ouvrir un restaurant à moi. J'ai été charmé par ce petit local, et je me suis dit que ça me permettrait d'avoir quelque chose de personnel et d'intime. » Il met toutes ses économies dans la rénovation de l'endroit et ouvre la Montée de lait, un restaurant décontracté proposant une cuisine gastronomique. Ses premiers pas comme entrepreneur sont difficiles, il apprend sur le tas : « On ouvrait cinq soirs par semaine, on avait deux services par soir. Le restaurant n'avait que 36 places assises, mais on faisait 70 couverts au total. » Le bouche-à-oreille fait son chemin et l'équipe doit rapidement refuser de nombreux clients, faute de place : « Ça a commencé à rouler rondement, on a engagé du monde et on est passés du chef qui cuisine seul à une vraie petite équipe en cuisine. Les critiques étaient bonnes, l'affluence aussi, et j'avais la sensation d'inventer quelque chose de nouveau en cuisine. » Un vrai succès, malgré le travail acharné qui est le lot de tout jeune entrepreneur.

COUPS DURS

Avec ses associés, Martin Juneau se rend à l'évidence : le local du resto, en plus d'être vétuste, est beaucoup trop petit pour satisfaire tout le monde : « On devait changer pour l'espace, mais aussi parce qu'il y avait beaucoup de problèmes de plomberie et d'électricité. On a cherché dans le même secteur, mais il n'y avait rien sur le Plateau-Mont-Royal. » Un agent immobilier les convainc de prendre un local vacant au centre-ville de Montréal, à l'angle des rues Sainte-Catherine et Bishop. « C'était un resto dans le même esprit que le premier, mais en six fois plus grand. » Le défi est de taille : garder la clientèle existante, qui avait l'habitude d'aller sur le Plateau, et aller en chercher une nouvelle. Si le pari est relevé au début, le débit ralentit soudainement : « Les gens trouvaient que ce n'était plus le petit restaurant de quartier qu'ils connaissaient, même si on y mettait le même soin. » Un an plus tard, alors qu'ils ont de la difficulté à remplir le restaurant, ils emménagent à nouveau sur le Plateau, dans un local plus petit du boulevard Saint-Laurent, pour y retrouver leur esprit d'avant. Mais, comme c'est souvent le cas dans le monde de la restauration, de nouvelles tables ont entre-temps ouvert leurs portes dans les alentours, et une partie de la clientèle a été perdue. Sans compter qu'un important problème persiste, encore plus grave celui-là : Martin Juneau ne s'entend plus avec ses associés. « Nous ne formions pas une bonne équipe. J'avais la sensation de ne pas être respecté. Avec le recul, je comprends que ça a été ma pire relation à vie. J'avais la sensation de tout faire tout seul, de ne pas être appuyé, surtout dans les moments difficiles. » Le restaurant ferme rapidement, et Martin et ses associés mettent fin à une relation d'affaires vieille de sept ans. « Ça a été dur, mais ça a aussi été ma meilleure décision. C'était une relation toxique. » L'échec, pour Martin Juneau, c'est l'échec de la relation d'affaires, bien plus que de son restaurant : « Ça a beaucoup joué dans l'évolution de la Montée de lait. Plus notre relation se détériorait, plus l'entreprise en subissait les conséquences. »

Il perd beaucoup d'argent dans l'opération : « À la fin de l'aventure, j'étais vidé émotionnellement, physiquement et financièrement. J'avais tout donné dans ce projet et je n'avais plus rien. » Il est embauché comme chef au Newtown, au centre-ville de Montréal : « Il fallait que je ramène de l'argent à la maison, j'avais une fille et je devais payer les comptes. Malgré cet épisode important, mon goût pour la cuisine et ma passion pour la restauration n'ont pas changé. Je suis resté quelque temps au

> « **Les occasions apparaissent le plus souvent sous la forme de malchance ou d'échec temporaire.** » — **Napoleon Hill**

Newtown, l'équipe était super. » Puis son ami Louis-Philippe Breton lui propose d'ouvrir un autre restaurant : « Louis-Philippe est un ami, et j'ai décidé de me lancer. Je voulais vivre autre chose, mais le faire différemment. » Ils ouvrent le Pastaga en 2012, avec l'idée d'en faire un bar à vin sympathique, abordable, avec une cuisine originale : « Quand j'ai lancé la Montée de lait, je pouvais travailler 80 heures par semaine. J'avais 26 ans et j'avais une envie folle de défoncer des portes. Quand tu as connu des hauts et des bas comme on en a vécu avec ce restaurant et que tu as des enfants, tes priorités changent. Je voulais travailler, mais je voulais le faire différemment, en consacrant plus de temps à mes relations professionnelles et personnelles. »

En 2013, peu de temps après avoir ouvert le Pastaga, Martin Juneau paraît dans une publicité du géant McDonald's, vantant les mérites d'un hamburger de la chaîne. Encore endetté de son expérience à la Montée de lait et après y avoir beaucoup réfléchi, il a accepté l'offre de l'entreprise. Plusieurs journalistes et critiques gastronomiques s'emparent de l'affaire pour condamner son rapprochement avec ce géant de la restauration rapide américaine. Dans le monde sans pitié de la restauration, où les succès sont parfois aussi fulgurants que les fermetures, peu de gens savent combien il peut être difficile de gagner convenablement sa vie à long terme. Bref, si l'expérience McDo est aujourd'hui derrière lui, Martin a conscience que le succès peut ne pas durer : « C'est pour ça qu'aujourd'hui, on n'a pas mis tous nos œufs dans le même panier. On a plusieurs commerces, plusieurs raisons d'être, et cela nous donne aussi une plus grande liberté. La pression du profit ne repose plus sur un seul restaurant ».

ÉQUILIBRE

Avec le restaurant Pastaga, la crémerie Monsieur Crémeux ou l'épicerie Le Petit Coin, Martin Juneau croit que la multiplication des projets est une façon de créer un équilibre autour de lui : « Je considère qu'avec mon associé, nous avons sept entreprises. En plus de nos commerces, ma carrière médiatique est une entreprise en soi. Ce que cela permet, c'est d'équilibrer nos revenus : si l'une de nos entreprises va moins bien, l'autre peut prendre le relais. » En bref, plutôt que d'ouvrir plusieurs restaurants, Martin Juneau préfère la diversification. Et c'est aussi une façon de mieux gérer les échecs ou les imprévus : « Sans parler de plans B, je crois qu'il est important d'avoir plusieurs cordes à son arc pour ne pas être complètement dépendant de l'une d'elles. C'est aussi ce que j'ai appris dans mon expérience à la Montée de lait. » Pour lui, la motivation première, c'est la passion : « On est des rêveurs, on veut triper sur des projets », et faire de l'argent aussi, bien évidemment.

« Contrairement à plusieurs personnes qui travaillent dans des entreprises, nous n'avons pas de fonds de pension, nous, les chefs et les propriétaires. Si on veut construire quelque chose, il faut pouvoir entreprendre des projets qui sont rentables. On ne peut pas prévoir le succès, mais on doit pouvoir se relever de nos échecs, c'est vital pour nous ! »

A-t-il la sensation d'avoir réussi ? « Oui. D'une certaine façon, je sens que je suis de plus en plus occupé, qu'il y a toujours une demande pour moi, et ça va de façon croissante. Mais j'ai encore beaucoup de projets que je veux mener à bien. » Martin Juneau ne s'est pas enflé la tête, et l'échec de sa première relation d'affaires le force à se remettre sans cesse en question : « Je sais que je dois faire attention avant de dire oui à tout. Parfois, je veux tout faire, mais je sais qu'il faut se préserver pour ne pas se brûler. » Pour lui, l'essentiel est de faire avancer ses entreprises avec des collaborateurs en qui il a confiance : « Je veux pouvoir me dire que s'il y a d'autres échecs, cela sera de ma faute ! »

L'histoire de Martin Juneau, si elle s'apparente à celle de bien des entrepreneurs, démontre une chose : l'importance de bien s'entourer et d'avoir de bonnes relations d'affaires. Cela peut sembler évident de prime abord, mais l'entourage compte pour beaucoup dans le soutien et dans la prise de bonnes décisions, particulièrement dans des moments de vulnérabilité ou de turbulences financières. Lorsque son premier restaurant a déménagé et essuyé une baisse de clientèle, les mauvaises relations avec ses associés-investisseurs ont été déterminantes dans sa fermeture. Et aujourd'hui, son rapport au risque a changé : les décisions se prennent à deux, avec son acolyte, et leur vision est la même, ce qui aide à traverser les épreuves et à assumer ensemble les éventuels échecs. Son inspiration ? Martin la trouve dans ces entrepreneurs de Silicon Valley, les Airbnb ou les Facebook de ce monde, qui, avec des idées simples, changent la donne d'un marché et créent de nouvelles façons de faire. Dans un monde où l'offre alimentaire et culinaire est très diversifiée, nul doute que Martin Juneau et son associé sauront changer quelques règles.

SE FAIRE CONFIANCE

CATH LAPORTE

DIRECTRICE ARTISTIQUE ET ILLUSTRATRICE, COFONDATRICE, TRUST

Cath et moi, nous avons le même âge. Elle m'a été présentée lors d'un projet de conférence sur lequel je travaillais il y a quelques mois. Nous cherchions des gens qui avaient un parcours atypique, une histoire professionnelle et humaine différente, mais surtout qui avaient connu un épisode difficile dans leur vie et un moment charnière dans leur carrière. J'ai été à la fois emballé et ébranlé par son histoire : tout plaquer, recommencer à zéro, et le faire avec autant d'aplomb et de confiance en soi, ça prend une force de caractère hors du commun. Puis, en écoutant son histoire, je me suis rendu compte qu'une chose m'avait échappée : parfois, on n'a pas le choix de tout mettre à terre pour reconstruire : la vie le fait à notre place.

Cath Laporte démarre sa carrière en pub dès sa sortie de l'École de design de l'UQAM, après avoir été repérée par Sid Lee, une agence de pub née à Montréal et maintenant implantée un peu partout dans le monde : « J'ai reçu la bourse de l'agence, et j'ai décroché un stage chez eux. C'était un grand rêve pour moi. On m'a ensuite rapidement proposé un poste, et j'y ai fait toute ma carrière de publicitaire. » Elle était fière et heureuse de travailler pour une boîte si prestigieuse : « J'étais une "toff", une ambitieuse, je voulais réussir. » Mais après six ans, elle a besoin de changement : « Je voulais évoluer, et je ne voyais pas où le faire à Montréal ni même au Canada. Ici, j'étouffais. » Elle va voir son patron de l'époque et lui demande de l'envoyer ailleurs, n'importe où, en pensant que partir loin allait lui permettre de grandir et d'assouvir sa soif de réussir. Il l'enverra quelques mois plus tard chez Sid Lee Paris, puis chez Sid Lee Amsterdam pour un voyage d'affaires : « Ce qui devait être un séjour de trois semaines s'est transformé en une aventure de plus de cinq ans. »

Amsterdam lui colle rapidement à la peau : les vélos, la simplicité des gens et la taille humaine de la ville, c'était parfait pour elle. « Au travail, j'étais contente, mais j'en voulais plus. Plus de responsabilités et plus de projets. Je n'étais jamais pleinement satisfaite. » Puis, un jour, tout a basculé en très peu de temps : « Mon patron m'a fait venir dans son bureau et il m'a mise à la porte, sans véritable raison. » Virée. Mise à pied. Elle se retrouve sans emploi, à des milliers de kilomètres du siège social qui l'a employée. Cath se prend une claque en plein visage : « Je ne m'y attendais pas. Le bureau faisait des restructurations... Et deux semaines plus tard, comme si cela n'était pas suffisant, je me suis séparée. Ça a été le moment le plus difficile de ma vie. J'avais la sensation que mon monde s'écroulait.» Encore aujourd'hui, cet épisode semble difficile à aborder pour elle: «Je ne sais pas pourquoi, mais je me sens mal d'en parler, même si je sais que ça a été bénéfique pour moi. Il y a une sorte de tabou dans notre société à aborder ce genre d'échec. On est faible, vulnérable et le monde n'aime pas voir cela. En même temps, lorsque j'entends aujourd'hui parler de gens qui ont vécu la même histoire, cela me rassure et m'inspire.» Le choc passé, Cath ne baisse pas les bras et entreprend de se poser de sérieuses questions sur son avenir: «Avec le recul, je sais que je voulais faire autre chose, mais que je n'y arrivais pas. Me faire congédier a été le coup de pied au cul qui m'a permis d'avancer.» Elle rentre au Québec quelques semaines pour faire le point.

PENSER AVEC SON CŒUR

Elle retourne rapidement à Amsterdam, une ville qu'elle a adoptée, et elle y fait la rencontre d'une femme, Joyce Oliver, qui vient de fonder Trust, un organisme communautaire qui n'avait initialement qu'un seul but: permettre à ses membres d'explorer des projets en dehors des conventions habituelles de notre société. «On pense trop souvent avec son porte-monnaie, et non avec son cœur. Trust, c'est pour confiance, pas pour *trust* financier. Joyce m'a demandé de faire le logo de son regroupement, et j'ai fini par devenir l'une des associées tellement j'avais besoin d'aller ailleurs, de découvrir autre chose sur moi.» Au fur et à mesure de ses expérimentations, le groupe développe un nouveau concept de café à Amsterdam : «On aurait pu ouvrir un fleuriste ou un coiffeur. Tout ce que l'on voulait, c'était proposer une autre conception du travail. Personne n'avait d'expérience dans le domaine, on a appris ensemble et on a tout fait, des menus au ménage. On cherchait une aventure humaine avec du sens.» Et le café Trust a un concept bien particulier, qui se résume dans son slogan : «*Come as you are, pay as you feel.*» (Venez comme vous êtes, payez comme vous le sentez.) En bref, les clients donnent ce qu'ils veulent pour ce qu'ils consomment : «Mais cela va un peu plus loin. On dit "donner comme vous le sentez" et non comme vous le pouvez, ou comme vous le voulez. Vous ne donnez pas en pensant à la valeur de ce que vous consommez, mais en pensant à comment vous vous sentez à ce moment précis. Ça peut paraître ésotérique, mais c'est une philosophie de vie, une approche vraiment différente de ce que l'on connaît.»

C'est aussi une nouvelle façon de faire des affaires et de concevoir le monde de la consommation : «Lorsque les clients commandent à manger ou à boire, on jette leur facture dès qu'ils ont reçu leur commande. À la sortie, sur le comptoir, il y a une boîte où les clients déposent la somme qu'ils veulent et récupèrent leur monnaie au besoin. En fait, nous n'avons aucun moyen de savoir qui a payé quoi.» Fou ? Pas tant que cela !

Les revenus finissent par s'équilibrer: «On peut payer 1 euro pour une assiette gargantuesque comme 10 euros pour un simple verre d'eau.» Cath croit profondément au partage, au fait de faire des affaires en jouant aussi un rôle dans la société.

Mais le modèle étonne toujours certains: «Un jour, on a reçu un inspecteur des impôts qui venait vérifier nos livres comptables. À la fin, il a regardé le tout et m'a dit: "Je ne devrais pas signer mon rapport vu votre modèle, mais *I trust you.*" Et c'est la plus belle chose que l'on pouvait me dire.» Et ce même modèle fonctionne aussi avec les fournisseurs: certains font du troc en échangeant des marchandises contre des commandes au café, tandis que d'autres proposent de payer comme ils le sentent: «On s'amuse avec l'argent, on essaie de minimiser son influence, ou à tout le moins sa lourdeur.» Et Cath Laporte et ses associés ont poussé le concept jusqu'à proposer des quarts de travail bénévoles, qui sont en fait une façon d'apprendre autrement: «La chef en cuisine, par exemple, est ici depuis le début du projet, et elle travaille quelques heures par semaine pour développer de nouvelles techniques de cuisine, en marge de ce qu'elle fait le reste du temps, c'est-à-dire un travail sous pression où la concurrence entre les chefs est énorme et stressante.» Ce que propose Trust, en somme, c'est un genre de laboratoire à mi-chemin entre une expérience communautaire et un processus de remise en question de soi. «Les clients sont d'abord un peu déboussolés, mais ils repartent rapidement avec le sourire. On devrait pouvoir être heureux au travail, ou heureux en consommant. Pourquoi ne l'est-on pas?»

Si l'approche de Cath Laporte et de Trust peut sembler simpliste, elle permet néanmoins de voir la vie d'une façon différente: «On a reçu pendant quelques semaines des gens de partout en Europe qui voulaient comprendre notre façon de faire, notre approche.» Ce que tous viennent chercher, c'est une façon de trouver de l'accomplissement et du bonheur autrement: «On aime à dire que l'on n'a besoin de rien pour être heureux, mais un rien peut aussi nous rendre malheureux!» Les associés du café sont maintenant entourés d'une véritable communauté de gens qui se retrouvent dans ce modèle : « Les clients adhèrent à notre façon de voir les choses, qu'ils soient des habitués ou des gens de passage, comme cette pink lady, une femme de 80 ans habillée en rose des pieds à la tête qui commande toujours ses toasts pas de croûte pas de beurre avec un œuf, ou bien ces touristes qui cherchent, amusés, les prix sur notre menu.» Les clients embarquent dans le modèle, qui, avec ses bénévoles, diffère des cafés habituels axés sur la rentabilité et l'efficacité: «Oui, les commandes mettent plus de temps à se préparer, mais nous l'indiquons aux clients sur un tableau, et généralement, ils s'assoient et sourient, parce que les règles sont claires dès l'entrée dans le café. On voit les gens changer quand ils franchissent le pas de la porte.» Pour Cath Laporte, qui a une vision humaniste du travail, on devrait prendre plus de temps pour se questionner sur notre société actuelle, une société de performance et de dépassement de soi, mais dénuée de sens, qui rend les gens encore plus malheureux. Après le café, le groupe a ouvert Trust 2, un espace galerie qui tente, à travers l'art et des ateliers, de réfléchir sur ce que nous sommes, mais aussi de propager ce nouveau modèle d'affaires *heart to heart business*.

REDONNER

Aujourd'hui, Trust fonctionne bien, et Cath Laporte veut utiliser les acquis qu'elle a développés pendant ces trois dernières années pour transmettre ses connaissances : « Je veux enseigner le design graphique et l'illustration, mais le faire différemment, avec l'approche que nous avons développée chez Trust. Je vois trop d'étudiants inquiets, perdus, qui ne savent pas vraiment pourquoi ils font ce qu'ils font. » L'école, pour Cath, est l'une des premières causes de notre incapacité à faire face aux vraies situations de la vie : « L'école ne nous apprend rien de concret pour évoluer dans notre milieu professionnel. On m'a appris ce qu'était la Seconde Guerre mondiale, mais on ne m'a jamais aidée à savoir qui j'étais vraiment, ce que je voulais. On nous demande de faire des choix, mais nous ne savons même pas qui nous sommes ! » Dans les classes qu'elle a données jusqu'à présent, Cath Laporte demande toujours à ses étudiants de présenter leurs idées comme s'ils devaient le faire dans la vraie vie, devant des gens qui vont les acheter ou pas : « Il faut aussi apprendre à développer des choses qui ne serviront pas. Il faut apprendre à se faire dire non, à échouer, même si cela fait mal. » Selon Cath Laporte, l'école devrait donner plus d'outils pour se faire confiance. Et son parcours prouve qu'elle-même en aurait eu besoin plus tôt : « Nous devons nous demander pourquoi, dans notre société, il est plus facile de montrer sa force que sa vulnérabilité. Pourtant, si on se fait confiance et qu'on fait confiance aux autres, c'est plus facile de réussir ! » Et la réussite, Cath Laporte peut aujourd'hui en parler de façon décomplexée : « J'ai appris à être fière de ce que je suis, et non de ce que je fais. Je me suis rendu compte que l'on accorde toute l'importance à nos actions, mais cela nous incite à n'être jamais contents, à en vouloir toujours plus. » Et l'histoire démontre que si l'on n'est pas content de soi, peu importe ce qu'on va accomplir, on sera toujours insatisfait. Cath a aussi changé son rapport à la consommation : « Je consomme moins, j'ai moins besoin de choses : voyages, biens matériels... Je ne me force pas, j'y pense moins. Quand je travaillais, à mes débuts, je faisais tout pour fuir ma vie et je trouvais refuge dans la consommation. »

Cath a la sensation d'avoir réussi sa vie, et c'est très certainement parce qu'elle est aujourd'hui plus libre de ses actions : « Je suis moins essoufflée, je n'envie pas ce que font les autres autour de moi. » Son parcours démontre que des épreuves qui peuvent parfois sembler insurmontables – même si, aujourd'hui encore, elle trouve difficile d'en parler – peuvent se révéler bénéfiques à long terme. La confiance en soi et en autrui, l'envie de faire le bien et de s'épanouir l'ont aidée à bâtir la suite de sa vie professionnelle. Ce qui est frappant dans son histoire, c'est qu'on y voit qu'il est possible de changer les règles, même si au départ cela peut paraître insurmontable. Une entreprise qui ne place pas l'argent au cœur de ses objectifs ? Un travail qui est aussi une sorte de thérapie-atelier ? Sur papier, tout cela ne tiendrait pas la route, mais, dans la vie, Cath et ses associés l'ont matérialisé à force de confiance en eux.

« Ce que je veux savoir avant tout, ce n'est pas si vous avez échoué, mais si vous avez su accepter votre échec. »
— Abraham Lincoln

La suite ? Cath Laporte ne la connaît pas encore : « J'y travaille, mais je ne suis pas inquiète, je prends ça comme un jeu. Je reste attentive aux opportunités et je dis non souvent lorsque l'envie n'est pas là. Désormais, tout peut arriver, j'ai confiance ! »

BILL GATES

DE LA FAILLITE
À L'EMPIRE

Bill Gates est aujourd'hui à la tête de l'empire Microsoft. Pourtant, à ses débuts, il a abandonné de hautes études à l'Université Harvard parce qu'il ne se sentait pas à sa place. Il a ensuite créé une entreprise qui a fait faillite en peu de temps. Convaincu que son idée de développement de système informatique était bonne, il a persévéré pour fonder Microsoft, avec le succès qu'on lui connaît.

CONDAMNÉS À RÉUSSIR

L'AVIS DE LA SOCIOLOGUE DIANE PACOM

Diane Pacom est professeure titulaire au Département de sociologie et d'anthropologie de la Faculté des sciences sociales de l'Université d'Ottawa. Elle observe l'évolution de la société, tente de comprendre les comportements socioculturels actuels et s'intéresse particulièrement aux jeunes et à leurs liens avec les adultes.

Lorsque je l'ai contactée pour lui parler de l'échec, elle m'a confié avoir reçu, quelques semaines auparavant, un appel du doyen de son université qui cherchait, parmi ses étudiants, ceux qui avaient « réussi » dans le domaine de l'entreprise. « Il se trouve justement que trois de mes étudiants, qui n'ont par ailleurs pas poussé très loin leurs études en sociologie, sont devenus des entrepreneurs, et que l'un d'eux est aujourd'hui richissime. Je me suis donc mise à réfléchir sur le succès avec eux. » Le moment était donc parfaitement choisi pour lui parler de la réussite et pour aborder l'évolution de la perception de l'échec dans notre société.

POURQUOI SOMMES-NOUS SI FASCINÉS PAR LA RÉUSSITE ?

Nous vivons dans une société qui, depuis la modernité (la période que l'on appelle le Siècle des lumières), a intériorisé et promulgué l'idée du progrès. C'est donc le changement et le progrès qui sont devenus les éléments de base de notre civilisation, laquelle, antérieurement, ne reposait pas sur ces valeurs : le succès n'en a en effet pas toujours été l'élément mobilisateur. Avant la modernité, il fallait vivre une vie bonne et juste, en accord avec notre statut. Être né paysan, par exemple, nous conditionnait à reproduire la vie économique, politique et sociale de notre entourage, sans avoir forcément intégré la notion de progrès telle que nous l'entendons actuellement. Cette idée fait maintenant que chaque jour, il nous faut accomplir des choses qui nous mènent vers un changement positif. Nos sociétés modernes ont complètement intégré la notion de progrès, de changement, et cette idée est en quelque sorte devenue notre seconde nature. Dès l'enfance, on inculque aux citoyens et citoyennes d'aujourd'hui l'idée que la vie est un changement perpétuel, toujours en route vers l'amélioration et vers le progrès. Ainsi, ne pas changer d'emploi ou ne pas évoluer, ou encore ne pas changer d'environnement pour le mieux, n'est pas quelque chose qui est aujourd'hui valorisé.

ET EST-CE QUE CETTE CONCEPTION DE LA RÉUSSITE A ÉVOLUÉ DANS LES DERNIÈRES ANNÉES ?

Non, pas tellement. Je trouve que l'on est encore malheureusement très dichotomique. La grande majorité des gens vit une vie avec des succès. Prenez le logement.

D'abord, vous habitez avec des colocataires, puis vous louez un petit appartement, puis l'accès à la propriété devient important. L'idée d'évolution se reflète dans tous les aspects de notre vie. De l'autre côté du spectre, et c'est là l'aspect dichotomique, il y a quelques mouvements de résistance à ce progrès, mais ces mouvements restent vraiment marginaux. Des contre-cultures et différentes sous-cultures de notre société refusent ce paradigme, mais la grande majorité des gens (regardez la pression que les parents mettent sur leurs enfants dès leur très jeune âge) vit selon un code génétique social qui l'oblige au succès. Parce que c'est de cela qu'il s'agit : aujourd'hui, nous sommes moralement obligés de réussir.

POURTANT, AUJOURD'HUI, ON A LA SENSATION QU'UNE NOUVELLE GÉNÉRATION D'ENTREPRENEURS, NOTAMMENT CEUX ISSUS DE SILICON VALLEY, ABORDE L'ÉCHEC D'UNE FAÇON PLUS DÉCOMPLEXÉE, NON ?

Nous vivons à une période où les nouvelles technologies ont changé la nature même de notre perception de l'échec, du succès et du progrès. Avant, le succès était caractérisé par les grands entrepreneurs et les grandes familles industrielles, soit les Ford de ce monde, qui ont fait de leur nom un empire. Ces grands modèles entrepreneuriaux sont cependant encore très présents dans notre définition du succès professionnel, succès souvent évalué selon une logique capitaliste. D'ailleurs, clin d'œil aux élections américaines, la fascination des médias et d'une partie de l'électorat pour Donald Trump est révélatrice : on s'intéresse à lui surtout parce qu'il est indépendant de fortune. Il est un pur produit du monde capitaliste dans lequel nous vivons et qui lui permet, à cause de son succès d'entrepreneur, de prétendre au poste le plus important de la démocratie américaine. Et ce modèle est encore très fort aujourd'hui.

Toutefois, vous avez raison, il y a une nouvelle génération d'entrepreneurs, plus jeunes, plus technos, qui aborde l'argent et la réussite d'une autre façon et qui les remet en question. Ce sont des entrepreneurs qui ont des modèles plus souples, plus petits au départ. Pour eux, l'échec est davantage vécu comme un apprentissage, ou à tout le moins comme un prétexte pour apprendre. Attention, pourtant : ce que l'on voit d'eux, c'est leur réussite et non leurs échecs. Ce n'est pas parce qu'on accepte quelques trébuchements et qu'on est humain qu'on ne vit pas avec cette idée constante de la réussite. Oui, notre société évolue et nous parlons plus d'échec. La vision très paternaliste de la réussite tend à disparaître, et ce, en partie grâce aux mouvements féministes. Quand je parle de vision paternaliste, je parle de ces dirigeants très « mâles » pour qui l'acceptation de l'échec n'est pas envisageable. Les femmes entrepreneures ont changé cela. Malgré tout, même si ces nouveaux entrepreneurs se donnent le droit de « se planter », les autres, ceux de la grande entreprise plus traditionnelle, acceptent toujours aussi mal cette idée de ne pas réussir. Alors l'échec, oui, mais si l'on est capable de le dépasser. L'échec total, lui, est encore vu avec peu d'indulgence dans nos sociétés.

PEUT-ON DIRE QUE L'ÉCHEC EST UN TABOU ?

Je n'utiliserais pas le mot tabou, trop fort, mais il est suspect de ne pas réussir, surtout dans le milieu des affaires. Notre regard reste très sévère sur l'échec professionnel dont on ne peut pas se remettre, où il n'y a pas de rebond. Je vois dans la société une peur panique de cet échec total. Je le vois chez les parents, c'est flagrant! Pour beaucoup, le fait que leurs enfants pourraient ne pas réussir est une crainte de tous les instants. Et cela se traduit par une peur que je vois beaucoup, et de plus en plus même chez mes étudiants: la crainte de ne pas avoir la meilleure note. Un A peut être vécu comme un véritable échec, parce que ce n'est pas la plus haute note. À mon époque, nous étions très heureux avec un B. Et vous allez me demander ce qui explique l'accentuation de cette peur? On vit une période de fragilité: redéfinition de la famille, changements technologiques, place des femmes dans le milieu du travail... Regardez l'émission *Mad Men*: c'est l'après-guerre, on est au début de ces choses inconnues, nouvelles, inédites qui ont redéfini la société de l'époque. La panique d'aujourd'hui est semblable: nous vivons ces changements sociaux comme des insécurités, ce qui crée chez nous une forme de panique de l'échec.

VOUS PARLIEZ DU RÔLE DU FÉMINISME DANS CETTE NOUVELLE FAÇON DE CONCEVOIR LA MODERNITÉ. CELA SEMBLE IMPORTANT SELON VOUS...

Je pense que le féminisme, d'une façon consciente ou inconsciente, a changé la culture politique de l'entreprise et a fondamentalement modifié notre rapport à la réalité, parce que même s'il n'y a pas encore beaucoup de femmes qui ont atteint les plus hauts paliers du succès dans les entreprises, elles ont déjà vécu la difficulté de se battre pour réussir en affaires et elles ont dû prendre leur place dans plusieurs domaines, alors que la place des hommes était «acquise». Les femmes, en évoluant sur un terrain plus vierge, ont amené une nouvelle sensibilité dans la façon de faire et de percevoir les choses sur tous les plans : politique, social et économique. Et c'est cette nouvelle sensibilité qui nous amène aujourd'hui à nous questionner sur l'échec et la réussite dans nos sociétés, et sur la façon d'en parler, de les verbaliser.

ET SI ON S'ATTARDAIT AUX GÉNÉRATIONS ? LES JEUNES POSENT-ILS UN REGARD PLUS DÉCOMPLEXÉ SUR L'ÉCHEC ?

Oh non ! Je ne pense vraiment pas. Je crois même que c'est encore pire. Je suis enseignante depuis plus de 30 ans et je n'ai jamais vu un phénomène de rejet aussi fort, inédit et étrange devant l'échec. Cette génération est soumise à une bureaucratie qui la force à exceller pour accéder à d'autres programmes. Auparavant, on misait beaucoup sur la réussite globale : le militantisme, le fait d'apprendre des choses, de se faire des amis et de s'amuser. Aujourd'hui, c'est différent, et je crois que c'est parce qu'on a affaire à une génération d'enfants-rois – même si je n'aime pas beaucoup cette appellation, elle a quand même le mérite de dire ce que l'on veut dire. Ces enfants vivent dans un contexte complètement différent de celui d'hier. Les parents d'aujourd'hui attendent souvent plus tard pour avoir leurs enfants, et en ont globalement moins. Ces enfants sont plus choyés, plus protégés. Je les appelle les «enfants-projets»: depuis leur naissance, on les cultive, tant sur le plan physique («Mon enfant doit-être le plus beau») qu'intellectuel («Il doit être le plus intelligent, et celui qui réussit le mieux»). Et les projets des parents se transfèrent aux enfants («Je ne veux pas faire de la peine à mes parents parce qu'ils ont travaillé toute leur vie pour me mettre dans les meilleures écoles»). C'est paniquant! Et, signe des temps, on ne peut pas négliger l'aspect, très contemporain, de la célébrité, largement accentuée par les médias sociaux et Internet. Tout le monde veut être célèbre et influent. Cela commence à se voir dès le plus jeune âge, lorsque les parents font de cet «enfant-projet» un outil de communication sur les réseaux sociaux: regardez comme il est le plus beau, etc. Cela amène un caractère ultracompétitif. Le même phénomène se produit dans les médias. Regardez les émissions les plus populaires, les concours de téléréalité, la volonté de réussir est partout. Et la peur de l'échec, elle, est bien réelle.

ET LE RÔLE DE L'ÉCOLE DANS TOUT CELA?

Et bien, à tout ce que je viens de vous dire, ajoutez un système éducatif lui-même basé sur l'ultraperformance... Regardez comme les universités se font concurrence: il faut avoir les meilleurs élèves, les meilleures notes. Les institutions organisent des conférences et des colloques pour faire rayonner ceux qui ont réussi, et elles veulent que cela se sache. L'impact sur les étudiants eux-mêmes? Leur obligation au succès est encore plus grande, plus forte. À mon époque, quand on quittait l'université, on n'y revenait pas pour parler de nous, de nos réussites. Nous y revenions à la limite comme professeur, comme moi! Regardez aujourd'hui comment les institutions scolaires de tous les niveaux se mettent en marché comme des entreprises et donc développent la nécessité de se démarquer par la réussite de leurs étudiants: les événements de reconnaissance des anciens et les murs tapissés des photos de ceux qui ont «réussi» sont devenus la norme! Bref, je crois que toute notre société est devenue accro à ce besoin de réussir et à la hantise de ne pas y arriver, et nous sommes tous devenus complices. Notre société actuelle est un peu à l'image des émissions de téléréalité. Nous sommes contaminés sur tous les plans. Regardez ces concours de beauté qui commencent dès le plus jeune âge: on est déjà dans un enjeu de performance. Il faut des gagnants et des perdants, et les modèles sont extrêmes.

REVENONS À LA FAMILLE, À NOTRE ÉDUCATION ET À SON ÉVOLUTION. PROTÈGE-T-ON PLUS NOS ENFANTS QU'AVANT?

À mon époque, par exemple, l'école ne mettait pas autant l'accent sur la réussite. Et nos parents étaient beaucoup moins louangeurs, peut-être plus insatisfaits. Nous avons, avec le temps, commencé à parler beaucoup de toute cette question de l'estime de soi. Et à partir de là, parents et écoles ont été plus à l'écoute des enfants, plus enclins à valoriser leurs succès. Je trouve que c'est une bonne chose d'encourager les enfants, mais à un certain point, cette idée de l'estime de soi a pris le dessus sur tout le reste. Je vais vous confier quelque chose: la semaine dernière, une jeune fille, une de mes étudiantes, est venue dans mon bureau. Elle était effondrée parce que je lui avais donné un B. Elle pleurait. Littéralement. C'est un exemple frappant d'une personne dont l'estime de soi a été tellement gonflée qu'elle ne supporte pas l'échec, aussi petit soit-il. Elle m'a dit «Je ne peux pas comprendre pourquoi vous m'avez mis cette note, j'ai toujours été louée pour mes qualités», alors que cela n'avait aucun rapport avec ses qualités! Elle a terminé en disant : « Vous ne pouvez pas savoir comment ma mère va être déçue. » Et c'était une étudiante en dernière année ! Pour elle, ne pas avoir un A était non seulement un échec, mais aussi une honte qui la renvoyait à la réaction de sa mère. Mais qu'est-ce que sa mère avait à faire dans son travail d'université ? Cette étudiante ne devrait-elle pas travailler pour elle-même ? Travailler pour ses connaissances et non pour les notes ? Moi, je viens d'une génération où, justement, notre objectif était d'abolir les notes. Ce changement est flagrant. Non seulement il faut réussir, mais il faut aussi réussir avec mention. Même logique en entreprise : cette importance de l'estime de soi se reflète aujourd'hui dans le succès. Oui, on veut gagner de l'argent, mais on veut surtout se prouver et prouver aux autres que l'on réussit. À l'école ou en entreprise, l'enjeu est le même, et c'est l'ego.

CRÉATIVITÉ

On entend beaucoup parler de créativité dans le milieu des arts, mais aussi de plus en plus dans celui des affaires. De manière générale, la créativité est la capacité d'un individu, d'un groupe ou d'une organisation à imaginer, construire et mettre en œuvre un concept ou à trouver une solution à un problème. Cette solution est souvent le résultat de l'imagination et de l'originalité individuelle ou collective, et se fait avec l'association d'idées, de choses ou de situations qui changent notre perception. Un exemple ? En publicité, le service des ressources humaines crée des groupes d'individus aux profils variés (gestionnaires, architectes, ethnologues, statisticiens ou autres) pour faire naître un climat propice à la créativité et qui permet de trouver des solutions à des enjeux commerciaux.

POURTANT, ON VOIT DE PLUS EN PLUS DE CONFÉRENCES SUR L'ÉCHEC UN PEU PARTOUT DANS LE MONDE. C'EST UN SUJET QUI SEMBLE ÉMERGER, PARTICULIÈREMENT CHEZ LES PLUS JEUNES. N'EST-CE PAS UN PEU CONTRADICTOIRE ?

Tout n'est pas aussi noir et blanc que cela ! Quand on atteint des niveaux d'excès comme ceux dont je vous ai parlé, c'est sûr qu'il y a un ressac. Je vois la réflexion sur l'échec comme un retour du balancier, c'est-à-dire qu'on se rend compte que des gens vivent très mal cette pression de la réussite constante. Parce que dans les faits, c'est impardonnable d'échouer. Il faut être le meilleur, le plus beau, le plus tout. Et à un moment, certains rejettent cela, et alors qu'on parle beaucoup de dépression et de maladie mentale, on commence à voir les excès de cette contrainte de la réussite. Il y a deux réalités qui cohabitent. C'est ce qui fait qu'à un certain moment, il y a des secteurs de la société qui commencent à s'éveiller et qui se disent qu'ils ne peuvent pas vivre comme cela, que l'on perd des esprits créatifs, des gens dont la société a besoin, surtout en période de redéfinition comme celle que nous vivons. Et cette double réalité, ces contrastes forts, on les voit apparaître de plus en plus tôt, dès l'école. Regardez le nombre de cas de boulimie, d'anorexie, d'intimidation, de dépression chez les jeunes. D'une certaine façon, c'est lié. Cette survalorisation de la réussite et de l'estime de soi incite aussi, de l'autre côté du spectre, à faire du mal aux autres. Vous pouvez très vite observer ceux qui rentrent dans ce moule social axé sur la performance et la réussite. Et vous pouvez aussi voir les autres qui ne s'y retrouvent pas et qui le vivent très mal, souvent d'une façon pathologique. Il y a donc eu une prise de conscience. D'où le sujet de votre livre. Vous ne vous y seriez pas intéressé si ces questions n'étaient pas déjà présentes dans la société.

AUJOURD'HUI, L'IMAGE DE LA NOUVELLE GÉNÉRATION D'ENTREPRENEURS EST FORTE. ON PEUT PENSER À TOUS CES JEUNES QUI SE LANCENT EN AFFAIRES OU QUI VEULENT LE FAIRE. CERTAINS SONT D'UNE FAÇON DEVENUS LES NOUVELLES *ROCK STARS* DE NOTRE SOCIÉTÉ. ON N'A QU'À REGARDER MARK ZUCKERBERG, LE FONDATEUR DE FACEBOOK…

En sociologie, Max Weber a écrit un livre : *L'éthique protestante et l'esprit du capitalisme*. Il a montré le rapport entre le religieux, l'éthique du protestantisme et le développement du capitalisme. Il y avait cette idée, du côté des protestants, de l'importance du succès, qui se refléterait dans l'au-delà, alors que les sociétés catholiques, elles, ne valorisaient pas du tout de la même façon cette vision sous-jacente de l'entrepreneuriat, cette accumulation d'argent. Et cette éthique protestante, très marquée en Amérique du Nord, a influencé le monde entier. Aujourd'hui, cette idée d'enrichissement et de succès, c'est *sexy* ! Et je ne parle pas juste de l'enrichissement pécuniaire, mais aussi de cette forme de « grâce » liée à ceux qui entreprennent des choses. Regardez comme dans toutes les grandes villes le *look* du moment, celui qu'adoptent les jeunes professionnels, est celui du jeune entrepreneur. Et on s'entend : je ne parle pas du financier classique de Wall Street, je parle de l'entrepreneur *cool*, un peu *hipster*.

D'une autre façon, le chanteur Drake, richissime et célèbre, est un exemple éloquent d'artiste devenu aussi entrepreneur, qui a cette image d'un homme touché par la grâce – ou à tout le moins qui a une aura. Kaney West va encore plus loin dans son raisonnement: il semble carrément envoyé par Dieu, au-delà de tout. D'ailleurs, ces entrepreneurs ou ces artistes superstars sont les nouveaux dieux de la société. En tout cas, on les considère comme tels. Ces gens ont une liberté supérieure à celle de tous les autres. Ils peuvent faire ce qu'ils veulent, à tout le moins en apparence. Et c'est ce que l'on admire. On désire atteindre cet Olympe, on veut être comme eux, parce que c'est ce que notre société laïque permet. On vit dans une société de consommation, et dans cette société, la réussite se caractérise par l'accumulation de biens, de temps, etc. Et qui est immortel à nos yeux? Ces artistes et ces entreteneurs, parce qu'ils ont «réussi», ils sont sur le mont Olympe. Et dans ce monde de la consommation à outrance, ils sont ceux qui nous inspirent.

HENRY FORD

TOUT OU RIEN

Henry Ford est un industriel américain de la première moitié du XXe siècle et le fondateur de la marque automobile qui porte son nom. Il est aussi à l'origine du fordisme, méthode industrielle de production en série qui a été marquante dans l'économie contemporaine. Il est devenu, au début des années 1900, l'une des personnes les plus riches du monde, mais ses débuts n'ont pas été empreints de réussite. Il a créé une première entreprise, Ford & Malcomson Company, qui, faute de commandes, a éprouvé de sérieuses difficultés financières. Il a connu le succès avec sa seconde entreprise, Ford Motor Company. Il est à l'origine de cette maxime désormais célèbre : « Échouer, c'est avoir la possibilité de recommencer de manière plus intelligente. »

AVOIR DE L'AMBITION

CAROLINE NÉRON

FONDATRICE,
CAROLINE NÉRON

Je suis arrivé rue Beaumont vers 9 h, comme on me l'avait indiqué quelques semaines auparavant par courriel. À la réception, un immense logo argenté couronne la tête de la réceptionniste, flanqué des lettres C et N. Scot, l'assistant de Caroline Néron, qui a organisé ce rendez-vous, m'accompagne jusqu'à son bureau. J'avais déjà rencontré Caroline lors d'une discussion que j'animais pour une conférence d'affaires. Son franc-parler et sa détermination m'ont incité à la rappeler pour ce livre. Comment peut-on à ce point changer de carrière, passer du spectacle à l'entrepreneuriat? Et comment peut-on garder le cap et avoir confiance en ses projets en dépit des critiques? Les murs du couloir sont tapissés de photos de publicités de Caroline portant les bijoux et les sacs à main de la collection qu'elle a créée il y a plus de 10 ans. Des employés semblent affairés à mille choses, et au milieu du couloir, dans une cage, un (vrai) lapin blanc fait une sieste. Caroline ouvre la porte de son bureau et prend les devants en voyant mon air perplexe: « On prépare une séance photo pour Pâques, voilà pourquoi nous avons un lapin », dit-elle en riant.

Caroline Néron est aujourd'hui à la tête d'une entreprise de bijoux et d'accessoires parmi les plus lucratives au Canada (elle a été classée au onzième rang de la prestigieuse liste *Profit 500* des entreprises canadiennes les plus performantes en 2013). Pourtant, rien ne prédestinait cette actrice et chanteuse à créer et à diriger une entreprise de plus d'une centaine de personnes. Rien, sauf peut-être une chose : un échec de parcours qui a forcé le destin, fait basculer sa carrière et changé sa vie.

Dès l'âge de cinq ans, Caroline Néron caresse l'ambition d'une carrière dans le domaine du spectacle : « Je voulais être actrice et chanteuse, mais mes parents, agents immobiliers, ne pouvaient pas me présenter les bonnes ressources, parce qu'ils ne connaissaient personne dans le milieu. » Elle réalise donc dès l'adolescence qu'elle devra se débrouiller seule, même si ses parents l'encouragent à tout mettre en œuvre pour réaliser ses rêves. À Montréal, à l'âge de 14 ans, Caroline suit des cours dans une école de théâtre, puis rencontre par l'entremise de son professeur son premier agent artistique. « J'ai fait mes débuts très tard (selon moi), vers 17 ans. » Elle décroche quelques rôles, mais cela ne lui suffit pas : « Je travaillais fort, mais je sentais que je n'arrivais pas à décoller. J'ai alors pris conscience que je devais prendre le contrôle de ma carrière, que je devais arrêter de me reposer sur quelqu'un. » Elle sort alors un premier album, éponyme, sélectionné au gala de l'ADISQ. À l'époque, ça fonctionne plutôt bien pour elle, mais elle vise plus haut. Après un voyage à Las Vegas, elle a l'idée de lancer des produits dérivés : « Je cherchais une source de revenus supplémentaires pour mes spectacles. Et comme j'aime la mode et les accessoires, l'idée de concevoir une collection de bijoux m'est venue.» Elle crée son entreprise en deux semaines, puis un accident de moto la contraint à une assez longue convalescence, qu'elle mettra à profit pour développer son entreprise. «Je préparais la sortie d'un deuxième album, et j'ai eu l'idée de porter sur scène les bijoux que je créais et de les vendre sur place.» Caroline a le sens des affaires et du marketing, mais, à cette époque, les bijoux ne sont qu'un à-côté de sa carrière de chanteuse.

La sortie du deuxième album de Caroline Néron ne se passe pas comme prévu : en plus d'une controverse entourant la pochette du disque, jugée trop osée, le succès de vente attendu est loin d'être atteint. «Côté ventes, ça a été un flop total et le premier gros échec de ma vie.» Aujourd'hui, Caroline aborde cet épisode avec légèreté, mais, à l'époque, la secousse a été brutale. Malgré le choc initial, il ne lui a fallu que quelques semaines pour se remettre sur pieds : «Je me suis rapidement dit : si cette porte-là se ferme, je vais en ouvrir une autre. Un échec te force à te mettre en mode solution.» N'empêche que cette période a été difficile : «Ce serait mentir que de dire que ça ne m'a rien fait. Je faisais les nouvelles pour le scandale autour de la pochette, et les ventes du disque étaient une catastrophe. Je me faisais détruire par les médias. Oui, j'ai pleuré très fort.» Parce que vivre un échec lorsqu'on est une vedette, c'est aussi le vivre devant tout le monde. Malgré tout, Caroline Néron décide de se prendre en main : «Ma confiance en moi n'était pas ébranlée. J'étais passionnée, j'avais envie de réussir, et j'allais y arriver!» Trois semaines après cet échec, elle fait la couverture d'un magazine habillée en homme, puis se dénude entièrement dans les pages intérieures : «Les médias critiquaient mon image de fille sexy? Et bien, j'allais poser nue pour leur en mettre encore plus plein les yeux!» Ensuite, elle se consacre entièrement à son entreprise de bijoux : «J'ai appris qu'un échec te force à te concentrer sur quelque chose qui fonctionne. Mes bijoux étaient un à-côté, ils sont rapidement devenus mon plan A. Aujourd'hui, si mon entreprise marche aussi bien, c'est parce que je m'y suis complètement investie.» Elle développe une vraie passion pour ses produits et leur mise en marché. «J'ai fait tous les postes de mon entreprise: de la production à l'expédition, du marketing à la vente. Et les échecs et les embûches que j'ai pu rencontrer dans mon parcours m'ont fait grandir. Cette passion-là, je l'ai nourrie, je l'ai développée à force de travail.»

D'ARTISTE... À FEMME D'AFFAIRES

Caroline Néron croit à la stratégie et aux plans d'affaires, mais ce n'était pas le cas à ses débuts : «J'ai lancé mon entreprise sans plan, et j'avais de grandes ambitions. Si j'avais commencé à coucher sur papier des étapes prévisibles, je ne serais pas là où j'en suis aujourd'hui!» Pourtant, c'est une femme d'affaires avant tout : «Il faut être cartésien, et après avoir pris un risque, il faut prévoir des plans B, mais rien de trop précis.» Pendant les premières années, Caroline achète ses bijoux «au *feeling*» : «Les quantités, je les décidais en fonction de ce que je pensais que j'allais vendre. J'ai suivi mon instinct!» Trois ans après la fondation de son entreprise, elle reçoit un courriel d'une boutique à l'extérieur de la région de Montréal qui voulait vendre sa collection de bijoux : « Je me suis rendu compte à ce moment-là que je pouvais conquérir tout le marché du Québec. Alors, j'ai pris la route, et j'ai été vendre mes bijoux. » Elle est dans la foulée invitée à exposer sa collection aux célèbres Galeries Lafayette, à Paris, grand magasin consacré à la mode et aux accessoires. En rentrant de son séjour en France, elle obtient son premier prêt bancaire pour développer son entreprise : « Je me suis dit que le potentiel de Paris était grand, et je me suis donc attaquée à la France. » En trois mois, les 300 000 dollars de prêt s'envolent dans le développement de l'entreprise en Europe. « Avec du recul, c'était un peu naïf de penser que la petite équipe de huit personnes que nous étions allait pouvoir développer une marque en si peu de temps. » L'entreprise est forcée de plier bagage et de rentrer à Montréal, faute de moyens : « J'avais une bonne réponse, mais je n'avais pas assez d'argent pour rester sur place. Je n'ai pas vu cela comme un échec, mais, forcément, j'ai dû me questionner au retour. »

Plus un sou en poche, avec huit collaborateurs à payer, Caroline est bien consciente qu'il faut changer de modèle : « Je n'avais plus une cenne. Ça m'a forcée à prendre une décision qui a été la meilleure chose pour moi : prendre le contrôle de ma production. » Au départ, l'entreprise n'était pas partie prenante dans la fabrication des bijoux : elle les achetait. Aujourd'hui, les bijoux sont dessinés à Montréal, puis fabriqués ailleurs. Plus flexible, ce nouveau modèle a émergé de l'expérience écourtée à Paris : c'est parfois dans l'adversité que l'on trouve les meilleures idées. En 2009, Caroline ouvre ensuite son premier kiosque de bijoux à Laval. Seul problème, elle n'a pas les fonds suffisants pour le créer : « J'ai ouvert cette microboutique avec les revenus qui allaient entrer dans les prochains mois. C'était un risque, mais j'y croyais. Mon comptable, lui, était presque "sans connaissance", et je voyais déjà dans son regard qu'il essayait de prédire la date où je déposerais le bilan. » Verdict : en quelques semaines, son kiosque devient celui qui a le plus grand volume de vente au pied carré de tout le centre commercial. Pari gagné.

Alors qu'elle vient d'apprendre qu'elle est enceinte, Caroline décide d'ouvrir trois autres points de vente : « J'avais besoin de "clencher" les ouvertures avant d'accoucher, mais tout le monde me disait que j'allais trop vite, que j'allais y perdre au change. » Finalement, c'est encore une fois un succès, et s'ensuit l'ouverture de plusieurs boutiques un peu partout au Québec : « Je suis passée d'un chiffre d'affaires de 900 000 à 10 000 000 de dollars, et là, j'ai pris conscience que mon entreprise était en train de changer. »

L'ESSAI ET L'ERREUR

Sur la question de l'échec, Caroline pense en vivre encore d'autres au cours de sa carrière : « Je vais en faire toute ma vie, mais je crois que c'est normal qu'un entrepreneur prenne des risques, qu'il aille au-delà de la normalité. C'est même essentiel pour l'entreprise, et aussi pour les employés. Pour l'entreprise, parce que cela permet d'être surpris. J'ai par exemple connu une expansion de trois mille pour cent en un an et demi, une croissance inconcevable sans prise de risque.

Et à l'interne, c'est stimulant pour les employés d'avoir une patronne qui ose et qui prend des risques. C'est inspirant. »

Cette assurance et cette confiance en son entreprise, Caroline l'avait dès ses débuts : « Je disais à mes fournisseurs d'embarquer avec moi parce que j'allais faire de ma marque une marque internationale. Certains ont suivi, d'autres me prenaient pour une idéaliste naïve. Je pense que ces derniers le regrettent un peu ! »

Caroline prône le droit à l'essai et erreur dans l'ensemble de ses projets : « Il faut se laisser le droit de faire des tests, de se planter, puis de rebondir. Par exemple, j'ai changé six fois de logo, et plusieurs fois le nom de mon entreprise. Qui s'en souvient aujourd'hui ? Vouloir la solution parfaite tout de suite et ne pas se laisser le droit de changer, c'est étouffant, et c'est contre-productif. » Est-ce pour autant un gage de réussite ? « Non. J'accepte de faire face à l'inconnu. Je travaille le plus fort possible et je me laisse le droit de ne pas avoir toutes les réponses. » La confiance et la passion sont deux éléments qui comptent pour beaucoup dans son succès : « Faire de l'argent, c'est assez facile. Mais aimer son travail, quand tu es au bureau cinq jours par semaine, c'est le plus important. » A-t-elle la sensation d'avoir réussi sa vie ? « J'ai réussi bien des choses, mais il y a encore tant de projets que je veux réaliser. Vous avez une journée de plus que je vous explique ? », me lance-t-elle en riant. L'essentiel, en plus de ses idées et de son ambition, c'est son entourage, qui lui permet de faire face aux épreuves et de surmonter les défis du quotidien : «Un bon entrepreneur est un bon rassembleur, il faut donc bien s'entourer. C'est essentiel.» Et si c'est elle qui a de grandes ambitions pour son entreprise, son rôle est aussi de transmettre sa vision à l'interne : «On travaille ensemble. Une idée fait du chemin et évolue avec les gens. Confronter ses idées et sa vision avec ses équipes, c'est aussi multiplier ses chances de réussir.»

Pour s'affranchir de la peur de l'échec, Caroline croit qu'il faut oser et respecter son propre *timing* : «Il y a des périodes pour prendre des risques ou oser faire quelque chose. Par exemple, certains jours, quand j'ai quatre refus coup sur coup, il se peut que j'arrête de m'acharner et que j'attende au lendemain. D'autres fois, mon énergie est forte et je sens que c'est le moment de décrocher mon téléphone ! Tout est bon autour de moi pour me donner confiance. L'essentiel, c'est l'état d'esprit et, en fin de compte, on a beau avoir des idées géniales, ce qui fera la différence, c'est de prendre des risques, d'oser.»

Son expérience en France lui aura appris qu'il faut partir avec le moins de moyens possible : «C'est facile de gaspiller de l'argent que l'on te prête, que tu n'as pas gagné. C'est plus dur de construire quelque chose.» Elle a emprunté ses premiers 10 000 dollars lorsqu'elle a démarré son entreprise et elle a remboursé son emprunt en un an. Puis, tous ses projets se sont par la suite en grande partie financés à même sa structure : «Trouver mon financement toute seule m'a permis d'apprendre plus vite.» Elle croit qu'il est important de mener plusieurs projets de front et d'avoir des plans B, ne serait-ce que pour relativiser un échec : «C'est important d'avoir un certain détachement, un certain recul. Cela permet de prendre de meilleures décisions dans les moments plus difficiles. »

Son projet de départ pouvait sembler fou et idéaliste, mais son ambition et sa persévérance ont aidé Caroline à réussir une grande partie de ses projets. Et cette réussite vient aussi avec son lot d'échecs et de remises en question, que ce soit sa carrière de chanteuse qui a connu une fin abrupte ou son retour précipité de Paris. La carrière d'entrepreneure de Caroline Néron est à construire au quotidien. Ses projets sont encore nombreux et, échec ou réussite, gageons qu'elle n'a pas fini de prendre des risques... pour y arriver.

PERSÉVÉRER

NICOLAS DUVERNOIS

FONDATEUR,
PUR VODKA

On vient juste de s'installer à la table. Je n'ai pas le temps d'appuyer sur le bouton de mon enregistreur que Nicolas commence déjà à parler. Chose frappante chez ce jeune entrepreneur qui a mon âge : son enthousiasme et son franc-parler. J'avais vu une entrevue qu'il a donnée à l'émission *Tout le monde en parle,* à Radio-Canada, et j'en avais conclu une chose : si la détermination avait un nom, elle s'appellerait sûrement Nicolas Duvernois.

Nicolas voulait devenir architecte, mais faute de bons résultats scolaires, il n'a pas pu concrétiser son rêve. Entre deux lavages de planchers à l'hôpital Sainte-Justine et un mauvais investissement dans un restaurant à la fin de ses études universitaires, il trouve le temps de démarrer une entreprise de production industrielle de vodka 100 % québécoise, un produit initialement refusé par la Société des alcools du Québec (SAQ). C'est un concours international qui changera le cours de sa vie.

LE LION EN CAGE

Né à Montréal, Nicolas Duvernois grandit avec un père français et entrepreneur (fondateur de deux revues spécialisées) sans en prendre vraiment conscience : « Ce n'est que plus vieux que j'ai réalisé que mon père avait été entrepreneur. » Sa mère, Québécoise, travaille aux ressources humaines de l'hôpital Sainte-Justine. Très tôt, dès l'école, Nicolas sent qu'il ne cadre pas dans le « moule » : « J'ai réussi facilement à l'école jusqu'à ce que je doive étudier des matières qui ne m'intéressaient pas, comme les sciences. Je n'en voyais pas l'intérêt. » D'ailleurs, dans les conférences qu'il donne maintenant pour raconter son histoire, il se plaît à demander qui, dans l'assistance, connaît un physicien. Les réponses positives sont habituellement peu nombreuses. Puis il demande qui connaît un entrepreneur, et beaucoup plus de mains se lèvent. « Ce qui est quand même fou, c'est qu'il y a plus d'entrepreneurs que de physiciens, et qu'il n'existe aucun cours d'entrepreneuriat à l'université. »

Durant ses études collégiales, il commence à développer un intérêt pour certaines matières, notamment les sports. Il est très impliqué dans la vie sociale de l'école : il est capitaine de son équipe de basketball et, en classe, il est souvent celui qui prend la parole en premier. À l'université, il poursuit ses études en sciences politiques. « Au cégep, mes résultats sportifs m'ont aidé à gravir les échelons, ce qui n'a pas été le cas à l'université. Je n'ai pas été admis tout de suite en sciences politiques, j'ai dû faire une session probatoire. » Sa première erreur selon lui? «Ne pas avoir eu de bonnes notes. Ça m'a vraiment compliqué la vie par la suite. En même temps, je crois que si je suis devenu entrepreneur, c'est justement à cause de ça.» Un mal pour un bien, dira-t-on. Après ses études en sciences politiques, il veut entrer dans une école de gestion. Il veut apprendre les affaires à HEC, mais il est refusé à cause de ses notes médiocres. Pas grave, Nicolas apprendra par lui-même.

Il cumule les petits emplois pour payer ses études. «Je n'étais vraiment pas un bon employé, j'ai été renvoyé de la quasi-totalité de mes emplois d'étudiant.» Il ne gardera que celui de préposé à l'entretien à l'hôpital Sainte-Justine, où travaille sa maman. Partout, Nicolas se sent comme un lion en cage: «Je n'avais pas de problème à me faire dire quoi faire, mais ne pas pouvoir exprimer mes idées, ça, ce n'était pas possible pour moi.» Et des idées, il en a à la tonne. Pour lui, tous les prétextes sont bons pour devenir son propre patron, le rêve de bien des étudiants. Il commence sa carrière d'entrepreneur à 25 ans en ouvrant un restaurant avec quelques amis. «Une grosse erreur», selon Nicolas, qui ne connaît alors rien au domaine. Ce grand rêveur s'entoure d'amis qui, comme lui, ne savent pas trop où ils vont. «Si j'ai appris une chose dans cette affaire, c'est qu'il faut s'entourer de gens complémentaires pour démarrer une entreprise, pas de gens supplémentaires, comme je l'ai fait.» Quelques mois après son ouverture, le restaurant bat de l'aile. Nicolas y a investi les économies amassées en lavant les planchers de l'hôpital Sainte-Justine, et il perd 8000 dollars. «On s'est improvisés restaurateurs quand on n'aurait même pas été de bons serveurs!» Une bonne chose cependant pour la suite: c'est dans ce restaurant que

Nicolas découvre la popularité de la vodka. Responsable des achats pour le bar et la cuisine, il ne comprend pas pourquoi il n'existe aucune vodka québécoise : « La recette de la vodka repose sur la qualité de l'eau, et au Québec, on a la meilleure eau au monde ! C'est un peu comme si on ne faisait pas de sirop d'érable... »

AVOIR UNE IDÉE ET LA RÉALISER

Nicolas se trouve donc une nouvelle passion : la vodka. Il passe deux ans à éplucher tous les sites Internet qu'il trouve pour mieux comprendre comment se fabrique cet alcool si consommé à travers le monde. À Montréal, il essaie d'obtenir un prêt pour démarrer son entreprise. Et c'est là qu'il rencontre ses premiers obstacles : « Entre l'idée et sa réalisation, j'ai traversé un désert. » Tout ce qui aurait pu lui arriver arrive : aucune banque ne veut lui octroyer une marge de crédit. « Au bout de 17 visites, j'avais même abandonné l'idée de la marge de crédit, je voulais juste ouvrir un compte ! » Il ne renonce pas pour autant : « Je n'allais pas laisser les autres décider si j'allais réussir ou échouer, je voulais le faire moi-même. » Il sait que son idée est bonne et il veut être le premier à se démarquer avec une nouvelle vodka 100 % québécoise. Si les banques ne veulent pas lui prêter d'argent, tant pis, il a au moins l'hôpital qui lui assure un revenu de base : « J'ai une obsession pour les plans B, donc j'avais gardé mon travail de nettoyage à l'hôpital Sainte-Justine. Après tout, j'avais des vacances et des assurances ! »

PERSÉVÉRER

Nicolas ne sait alors pas faire un plan d'affaires. En sciences politiques, il faisait des dossiers de recherche. C'est donc ce qu'il entreprend : « Je me suis mis dans la tête d'un banquier ou d'un consommateur et je me suis demandé ce que je voudrais savoir sur mon entreprise et sur mon produit. » Déterminé, il prend le temps de bien connaître le marché et les processus de fabrication. « Je savais de quoi je parlais quand on a coulé la première bouteille. Pas comme pour le restaurant ! » Aujourd'hui, il déplore cette folie des *start ups* : « Je reviens d'une conférence ou des tas de jeunes ayant une idée veulent créer une entreprise en deux jours et se disent prêts à aller chercher du financement. Selon moi, ça tue l'entrepreneuriat, ou à tout le moins ça élimine le concept de persévérance. » Cette persévérance, c'est ce qui a guidé Nicolas Duvernois tout au long de son parcours semé d'embûches.

Pour Nicolas, la passion de la vodka a été une sorte de révélation, bien réelle aujourd'hui et dont il ne saurait se passer. Outre son désir de faire de l'argent, l'entrepreneur veut d'abord et avant tout concrétiser son idée et vivre de sa passion. Selon lui, il y a deux types d'entrepreneurs. Le premier voit une occasion dans un marché et y répond, peu importe le produit. Les bougies sont à la mode ? Eh bien, il s'y lance. Et de l'autre côté du spectre, il y a le second, l'entrepreneur passionné par son produit : Annick Goutal s'est lancée dans les parfums et les bougies par passion. Les deux peuvent faire de l'argent et s'épanouir. Nicolas fait partie de la seconde catégorie.

Fin 2006, à 26 ans, il enregistre Pur, qui est aujourd'hui le nom de sa vodka. Si certains peuvent y voir la consécration d'un projet, Nicolas sait que ce n'est que le début de l'aventure. « Le plus dur, au début, a été d'imposer ce statut précaire d'entrepreneur en démarrage à ceux qui m'entouraient. » Sa femme, qui à l'époque était sa petite amie, paie les factures du couple. « Tous mes amis commençaient à avoir des enfants, à se construire une vie. Moi, j'avais la sensation de régresser socialement. J'allais à contre-courant de ce qu'il fallait faire. Normalement, sortir de l'université, c'est aussi commencer à gagner plus d'argent. Pas pour moi. » Mais Nicolas ne baisse pas les bras. Avec l'aide de sa femme et d'un associé, il lance la première production de sa cuvée de vodka, quatre ans après en avoir eu l'idée. Satisfaits du résultat, ils présentent une demande pour distribuer leur produit à la SAQ. Elle est tout de suite refusée. « Tout a été compliqué. Et ça, dès le début : le gouvernement ne savait pas quel permis nous donner, car il n'existait pas de producteurs d'alcool industriel comme nous. Les banques, la SAQ… ça faisait beaucoup, mais en même temps, je n'ai jamais voulu abandonner, parce que j'étais persuadé que mon produit était bon, et je voulais atteindre mon objectif. » Nicolas veut pouvoir, d'une certaine façon, contrôler son destin et avoir la liberté de travailler à son propre projet, pas à celui des autres. Après une période d'abattement, la petite équipe envoie quelques bouteilles dans un prestigieux concours de vodka à Londres, le Vodka Masters. Contre toute attente, la vodka québécoise remporte le premier prix, celui de la meilleure vodka au monde. À partir de ce moment, tout va changer, à commencer par l'acception de la vodka Pur par la SAQ, le Saint-Graal de tout producteur d'alcool.

Malgré le prestigieux prix, il faut du temps à Nicolas avant de pouvoir vivre de son projet. Quelques semaines après que sa vodka a été récompensée, alors qu'il lave les planchers de l'hôpital Sainte-Justine, il réalise le fossé qui se crée entre lui et ses collègues de l'hôpital. « Moi, je devais travailler parce que ma vodka ne se vendait pas encore assez pour m'assurer un salaire décent, et mes collègues, eux, me snobaient parce qu'ils pensaient que j'étais un riche entrepreneur qui lavait les planchers pour le *fun*. Un soir, alors qu'ils allaient prendre une bière après le travail, ils ne m'ont pas proposé de les suivre. Ils pensaient que j'avais mieux à faire. Et moi, j'avais juste peur qu'ils me le proposent parce que je n'avais pas un sou à dépenser dans un bar... » À ce moment, Nicolas prend conscience que peu de gens savent vraiment ce que traverse un entrepreneur qui démarre une entreprise.

Aujourd'hui, Pur est l'une des vodkas les plus vendues ici. Et Nicolas ne compte pas s'arrêter là : il vient de lancer un gin, Romeo's Gin, et il a d'autres projets en tête : « Je n'ai réalisé qu'un pour cent de ce que je veux faire ! » Sa plus grande peur ? Ne pas pouvoir atteindre ses objectifs. « Oui, j'ai peur de l'échec. Lorsque tu as connu l'échec comme j'ai pu le connaître plusieurs fois dans la vie, tu fais tout pour que ça ne se reproduise pas. » Cette peur, loin de le bloquer, le pousse à réfléchir en permanence, à essayer de trouver de nouvelles solutions et de nouvelles idées : « Je ne décroche jamais ! Je me suis mis à faire des marathons, du yoga, et pourtant, je prends toujours en note les nouvelles idées qui me viennent en tête à tout moment. Je crois que c'est cette peur de l'échec qui me pousse à travailler en permanence. » Pourtant, Nicolas sait bien que l'on ne peut pas tout réussir : « Peut-être que je vais échouer dans le futur. Ou peut-être que j'ai déjà eu toutes les malchances possibles et imaginables ! Mais je sais que la passion de ce que je fais me guide. Pas l'argent. Et je crois que c'est peut-être ce qui me préserve de l'échec. » Pour lui, même s'il est important de parler de l'échec, il ne faut pas le glorifier pour autant : « Si tu ne prends pas de risques, tu ne peux pas réussir. En même temps, abandonner à tout bout de champ parce que quelque chose ne fonctionne pas ne te permettra pas plus de réussir. Oui, c'est normal d'échouer. Mais est-ce qu'on veut échouer ? Non, je ne crois pas. »

LES LEÇONS

Il y a trois ans, un journaliste de Chicoutimi appelle Nicolas pour le faire parler de son expérience d'entrepreneur. « C'était la première fois qu'un journaliste s'intéressait à mon histoire plutôt qu'à mon produit. » Après la publication de l'article, la Chambre de commerce de Trois-Rivières lui demande de faire une conférence devant ses membres. « J'avais soigneusement préparé le contenu de cette présentation. Tout me semblait parfait. » La veille de la conférence, qui allait avoir lieu le matin vers 7 h, il décide de répéter son texte devant sa femme : « Elle m'a coupé en plein milieu pour me dire que ça ne fonctionnait pas, que ça ne me ressemblait pas. » Karolyne, sa femme, lui propose de raconter son histoire comme s'il la racontait à son meilleur ami. « C'est ce que j'ai fait. J'ai réécrit toute l'histoire quelques heures avant l'événement. Et ça a fonctionné. » Depuis, Nicolas raconte son histoire de conférence en conférence. Sa vie et les aléas des débuts de son entreprise rejoignent aujourd'hui beaucoup d'entrepreneurs qui, comme lui, ont dû faire des sacrifices et renoncer à un certain confort pour pouvoir mener leur projet à bien. « Parce qu'on a le droit de dire que l'entrepreneuriat, c'est compliqué, et de le dire sans détour, avec humanité et sincérité. »

La persévérance, c'est le mantra de Nicolas Duvernois. Il a mis plusieurs années pour peaufiner la recherche de son entreprise et de son produit, et il a su avoir suffisamment confiance en lui et en son idée pour de ne pas se laisser décourager par de multiples refus. Aujourd'hui, c'est cette persévérance qui le guide encore dans le développement de son entreprise et le lancement de nouveaux produits.

« Certains entrepreneurs veulent tout, tout de suite. Prendre son temps et affronter des épreuves, c'est parfois la clé de la réussite. Trouver un partenaire a aussi été difficile, parce qu'il m'a demandé de partager les décisions. Mais ça a aussi été très stimulant, parce qu'on est tellement plus fort lorsqu'on est entouré. »

Selon Nicolas, en affaires comme dans la vie, trouver des partenaires complémentaires est essentiel. Forte du soutien de sa femme (ce qui lui a permis d'entièrement se consacrer à son projet alors qu'il n'avait pas de salaire) et de celui de son associé (un gestionnaire, tout le contraire de Nicolas, un créatif), la réussite de son entreprise est le résultat de la collaboration d'une équipe.

La suite, Nicolas Duvernois ne la connaît pas encore, mais une chose est certaine : il croit que les entrepreneurs de demain les plus performants devront s'impliquer dans la société, qu'ils devront vouloir laisser autre chose qu'un simple compte en banque. C'est pourquoi il a créé une fondation pour rendre l'art contemporain accessible. Et son prochain produit sera étroitement en lien avec sa nouvelle vocation. Nicolas est un entrepreneur sensible et terriblement déterminé.

POUR ALLER PLUS LOIN

Nicolas Duvernois raconte son parcours dans son livre *Entrepreneur à l'état pur*, publié aux éditions Transcontinental en 2015. Pour ceux qui veulent en savoir plus sur son histoire faite de persévérance et de chance et pour ceux qui veulent se lancer en affaires, c'est un bol d'air frais à lire absolument. Mettez la main dessus !

PERSÉVÉRER

OPRAH WINFREY

UN SYMBOLE
DE RÉSILIENCE

Oprah Winfrey est aujourd'hui l'une des figures emblématiques des médias aux États-Unis et un modèle dans le monde entier. Émissions phares, chaînes de télé, magazines, tournées de conférences : tout ce que touche Oprah semble un succès.
Et pourtant, elle a été mise à la porte de son premier emploi dans une chaîne de télé et son patron a été jusqu'à lui dire qu'elle n'était pas faite pour la télé. À force de persévérance, et malgré les épreuves de sa vie personnelle et professionnelle, elle est aujourd'hui un modèle pour beaucoup de gens qui rêvent eux aussi d'aller au bout de leur passion.

LA RECHERCHE DU BONHEUR

L'AVIS DU PHILOSOPHE JOCELYN MACLURE

Jocelyn Maclure est philosophe et professeur à la Faculté de philosophie de l'Université Laval. Avec Nicolas Langelier, il a cofondé en 2012 le magazine *Nouveau Projet*, et il blogue pour le magazine *L'Actualité*. Il est cotitulaire depuis 2011 de la chaire La philosophie dans le monde actuel et il est souvent appelé à réfléchir sur des enjeux de société dans les médias.

Pourquoi parler d'échec et de réussite à un philosophe?

Depuis l'Antiquité, les philosophes ont réfléchi à l'existence humaine, notamment à la recherche de la vérité et au sens du bonheur et de la réussite. Les notions de réussite et d'échec ont évolué depuis ce temps, mais comprendre ces concepts nous permet de mieux fixer nos objectifs de vie, tant au travail que dans nos vies personnelles. L'atteinte du bonheur dépend aussi de notre conception de l'échec et du succès. Et la philosophie, dont le nom signifie littéralement « amour de la sagesse », permet une réflexion plus large sur notre existence.

COMMENT DÉFINIRIEZ-VOUS L'ÉCHEC ?

C'est le contraire de la réussite : si le succès est d'atteindre les objectifs que l'on s'est fixés, l'échec, c'est lorsque l'on forme des intentions, des objectifs et qu'on ne les atteint pas. Or, de nos jours, il y a plusieurs définitions du succès, et c'est positif. Mais cela fait aussi que l'on doit choisir parmi plusieurs objectifs potentiels : on délibère et on réfléchit sur ce qu'on veut atteindre, et parfois, on n'y arrive pas. Avant, les rôles et les conceptions de ce qu'était une vie réussie étaient plus simples, plus standards. Tout était très axé sur la réussite professionnelle. Par exemple, si l'on était un homme, on réussissait professionnellement et, même si on avait une famille, on ne la gérait pas vraiment. Aujourd'hui, réussir peut vouloir dire beaucoup de choses et, pour la même personne, se décliner de plusieurs façons différentes.

AH OUI ? RÉUSSIR AUJOURD'HUI, C'EST PLUS COMPLEXE QU'AVANT ?

La réussite ultime, c'est la réussite de la vie de manière générale, et non la réussite d'un projet particulier. C'est une question à laquelle de nombreux philosophes de l'Antiquité ont réfléchi, notamment Aristote. Pour lui, l'objectif à atteindre, c'est une vie « bonne », soit une vie heureuse, accomplie, réussie : c'est en quelque sorte la quête du bonheur. Aujourd'hui, réussir sa vie implique de réussir dans plusieurs sphères : travail, famille, vie sociale. Bien entendu, notre époque n'a pas renoncé à la réussite professionnelle, cela reste une façon de s'épanouir et de se réaliser qui est très importante. Cependant, nous sommes plusieurs à ne plus vouloir sacrifier tout le reste pour pouvoir réussir professionnellement, ce qui veut dire que nous voulons aussi nous réaliser dans notre vie familiale – enfants, conjoint, vie à la maison, etc. – et entretenir des amitiés, s'impliquer dans la société et dans notre communauté comme citoyen... L'idée, c'est de voir comment on peut concilier ces différentes facettes de la réussite. Cela pose bien sûr plusieurs problèmes, et le plus grand, c'est le temps : nous n'avons qu'une vie, et on ne peut pas vivre tous les modes de vie que l'on trouve intéressants. Il y a des compromis à faire. Je sais que moi, par exemple, je dois mettre un seuil à mes objectifs professionnels pour pouvoir les concilier avec mes objectifs personnels. Je ne veux pas me dire plus tard que j'ai été un père absent parce que j'ai passé mon temps au travail. Cela, pour moi, serait vraiment un échec très important. Je ne peux pas réussir ma vie si j'échoue dans mon rôle de père.

QU'EST-CE QU'UNE VIE « BONNE » ?

Les grands philosophes antiques, comme Aristote ou Socrate, ont beaucoup réfléchi à ce qu'était une « vie bonne ». C'est l'idée que chaque être humain peut ici et maintenant devenir le maître de sa vie. Une vie bonne est d'abord une vie heureuse, accomplie et réussie. Elle se définit par la possession et la poursuite d'objectifs (richesse, sagesse, vertu), tandis que le bonheur, lui, se définit par l'état mental que procure la vie bonne. En d'autres mots, une vie bonne, c'est une vie qui nous procure du bonheur.

QU'EST-CE QUI A FAIT QUE NOTRE
PERCEPTION D'UNE VIE RÉUSSIE A ÉVOLUÉ ?
Y A-T-IL EU UN POINT DE RUPTURE ?

Je pense que les transformations des rôles de l'homme et de la femme, du père et de la mère, y sont pour beaucoup. Les rôles traditionnels se sont écroulés, notamment à cause du féminisme et des mouvements pour l'égalité. Maintenant, un père doit s'engager autant qu'une mère dans la vie familiale. Cette transformation des rôles masculin et féminin a modifié notre perception de ce que nous considérons comme une vie réussie. On est aussi dans une société très plurielle dans ses valeurs : certains pensent que leur enrichissement professionnel est essentiel et primordial, alors que d'autres veulent se consacrer entièrement à leur vie familiale. De plus en plus d'entre nous concevons une vie réussie par le fait de réussir « globalement » dans plusieurs dimensions : famille, travail, vie collective. Moi, par exemple, je sais que je ne peux pas être un citoyen désintéressé de la vie autour de moi. Je dois être dans ma communauté, là où il y a un débat de société. Passer à côté de cela, ce serait pour moi un échec. Par contre, je sais que je ne peux pas tout faire : je dois donc trouver un équilibre.

> « Être heureux ne signifie pas que tout est parfait. Cela signifie que vous avez décidé de regarder au-delà des imperfections. »
> — Aristote

IL EST DONC IMPOSSIBLE DE TOUT RÉUSSIR...
ET FORCÉMENT, ON EST CONSTAMMENT
CONFRONTÉ À L'ÉCHEC, NON ?

Oui, c'est en effet un risque : avoir le sentiment que l'on ne fait rien de très bien, que l'on fait tout à moitié. Dans une conception d'une vie réussie comme la mienne, qui est aussi la conception moderne de la réussite, on peut penser que l'on ne va pas au fond des choses, et donc que l'on n'est pas dans l'entière réussite. Qu'on est en quelque sorte moyen. C'est pourquoi il faut mettre des priorités dans ses objectifs et les regarder de façon réaliste. L'autre grand risque, c'est une forme d'épuisement. On parle beaucoup de nos sociétés modernes comme étant celles de la fatigue et de la performance. Une partie de notre réalité est aujourd'hui guidée par cette norme sociale d'une vie performante.

ET C'EST AMPLIFIÉ PAR LES MÉDIAS : TOUT VALORISE LA RÉUSSITE. CELA DEVIENT UNE FORME D'OBSESSION DANS NOS SOCIÉTÉS. D'OÙ CELA VIENT-IL ?

Pour comprendre cela, il faut remonter un peu dans l'histoire. La chute des anciens régimes aristocratiques et les grandes révolutions du XVIIIe siècle ont fait évoluer notre perception de la réussite, qui soudainement n'était plus associée seulement au milieu dans lequel on naissait. Nous ne vivons pas dans un monde où nous avons déjà notre place, du moins pas complètement. Avant, le fait d'appartenir à l'aristocratie ou au peuple était un facteur qui nous prédisposait au succès ou à l'échec. Il y avait très peu de mobilité sociale, chaque personne ayant sa place et n'en bougeant presque pas. On héritait notre identité. La société moderne a terrassé cette hiérarchie très verticale. Notre identité, c'est quelque chose que l'on construit. On se demande quel type de personne nous voulons être, et ce sont nos expériences qui nous mènent à définir notre identité. Le risque est bien entendu d'échouer à devenir ce que nous voulons être. C'est une grande pression que cette liberté, et elle vient avec une angoisse, parfois constante, liée à la peur d'échouer notre vie. On peut se dire : « Je pourrais ne pas être reconnu par les autres. » Avant cette nouvelle construction sociale, un paysan était reconnu comme un paysan et un aristocrate, comme un aristocrate. Aujourd'hui, la pression engendrée par cette nouvelle réalité peut créer une angoisse de la réussite ou de l'échec et pose la question de la reconnaissance des autres.

ATYCHIPHOBIE

L'atychiphobie est la peur anormalement exagérée de l'échec, une peur si forte qu'elle empêche quelqu'un de prendre le risque d'essayer, de se lancer. Elle entraîne généralement une dévalorisation de soi et de ses compétences.

CELA VEUT DIRE QU'ON A DAVANTAGE BESOIN DE LA RECONNAISSANCE DE L'AUTRE AUJOURD'HUI DANS NOTRE FAÇON DE DÉTERMINER OU NON LA RÉUSSITE DE NOTRE VIE ?

Oui, le regard des autres est crucial dans notre estime de nous-mêmes, dans la confiance que l'on a en nous-mêmes. Car nous ne jouissons plus d'une reconnaissance a priori, ou du moins c'est très rare. C'est angoissant de savoir que la construction de notre identité pourrait échouer. De façon plus fondamentale, je crois que c'est pour cela que l'on valorise le succès ou la performance, c'est une façon de se repérer socialement. On cherche à émuler ceux qui réussissent : ils jouissent de plus d'estime sociale. Forcément, le regard des autres devient important dans ce contexte, voire essentiel dans la perception de nos réussites ou de nos échecs.

ET L'ÉCHEC SEMBLE ASSEZ MAL VU
DANS NOS SOCIÉTÉS MODERNES...

En effet, c'est malheureux que l'échec soit connoté de façon si négative aujourd'hui. Je crois fermement que pour réussir, il faut absolument développer ses capacités, et pour y parvenir, il faut faire des expériences, il faut agir, il faut prendre des risques, se lancer, se mettre en danger. C'est comme cela que l'on développe ses talents. Et lorsqu'on prend des risques, on peut échouer. Si on ne prend pas de risques, je ne vois pas comment on peut développer ses capacités. Bien souvent, dans un processus de croissance, il est nécessaire de ne pas tout réussir. Tous ceux qui ont fait du sport de compétition le savent : pour croître, il faut absolument se confronter aux meilleurs, à ceux qui sont rendus plus loin que nous. Une fois qu'on l'a fait, on comprend ce qu'il nous manque pour passer à la prochaine étape. Pour avancer, il faut donc se confronter aux autres, à ceux qui nous stimulent. Et pour cela, il faut accepter que l'on perde parfois et que l'on doive affronter des échecs.

CE QUI NOUS AMÈNE À NOUS DIRE QU'IL FAUT
TRAVAILLER POUR RÉUSSIR, CE QUI PEUT ÊTRE
CONFRONTANT, D'UNE CERTAINE FAÇON, POUR CEUX
QUI PENSENT QUE LES TALENTS SONT TOUS INNÉS.

Effectivement. La tentation de la pensée magique est grande, parce que rassurante. «Je réussis parce que je suis fait pour cela, et j'échoue de la même manière.» C'est faux. Il faut développer ses capacités. C'est dans l'action, dans le travail et les expériences que l'on accumule que l'on va trouver le succès. Il y a certainement des exceptions, ceux qu'on appelle des génies. Peu d'exemples me viennent en tête de personnes qui n'ont pas travaillé pour réussir.

LE SENS DU MOT « ÉCHEC » A TOUJOURS ÉTÉ CONNOTÉ NÉGATIVEMENT. IL SIGNIFIE « LE ROI EST MORT » DANS LE JEU D'ÉCHECS. EST-CE QUE LE SENS DE CE MOT COMMENCE À CHANGER ?

Je ne sais pas. J'entends chez une nouvelle génération cette volonté de se lancer, de prendre des risques et de parler de ses échecs plus librement. Mais ce n'est qu'une facette de l'échec. Il y a plusieurs types d'échecs. Ceux qui sont définitifs, qui peuvent mener à la faillite, avec de très graves conséquences, et ceux qui nous permettent d'avancer. La prise de risque calculée, modérée, est importante dans un processus d'apprentissage, et cela, peu importe l'âge ou les générations. Peut-être que nous parlons plus d'échec dans certaines sphères de la société, mais les plus gros échecs, ceux qui n'ont pas mené au succès, nous n'en parlons jamais. Ceux qui parlent de l'échec sont ceux qui ont finalement réussi d'une certaine façon. La reconstruction est essentielle. On ne donnera jamais la parole à ceux qui ont tout perdu et qui n'ont rien réussi.

DONC QUAND ELON MUSK PARLE DE SES ÉCHECS, C'EST RELATIF, PARCE QU'IL RÉUSSIT PAR AILLEURS DES CHOSES QUI NOUS FASCINENT ?

Dans le récit que l'on fait de soi, les moments d'adversité qu'on a réussi à dépasser permettent de toucher les gens. Une bonne histoire est toujours faite de rebondissements, de hauts et de bas. Mais au-delà de cela, ceux qui réussissent doivent passer par des échecs. Regardez les scientifiques : ils savent très bien qu'ils doivent échouer souvent pour arriver à un petit résultat. Alors, bien sûr, on va parler de leurs découvertes, mais ils ont connu bien souvent beaucoup plus d'échecs, dont on parle peu. Ces échecs font partie du processus d'apprentissage. Un artiste aussi est toujours confronté à ses propres limites : il faut parfois donner un spectacle médiocre pour passer à une autre étape. Et j'espère qu'il y a une prise de conscience de cela dans nos sociétés. C'est important pour que nous puissions nous-mêmes ne pas avoir peur d'essayer et de nous confronter, nous aussi, à nos propres limites. Si ces entrepreneurs permettent de normaliser l'échec dans un processus d'apprentissage, je crois que c'est très positif.

LA PERSÉVÉRANCE ET LE TRAVAIL SEMBLENT AU CŒUR DE TOUTE RÉUSSITE, CE QUI VEUT DIRE QUE CEUX QUI NE RÉUSSISSENT PAS CE QU'ILS ENTREPRENNENT N'OSENT ET NE TRAVAILLENT PAS ASSEZ ?

D'une certaine façon oui, mais pas seulement. Bien sûr, ceux qui sont perfectionnistes ont du mal à supporter l'échec, total ou partiel, de leurs objectifs. Cette peur est susceptible d'entraver le développement de nos capacités. Il faut inciter les jeunes à se mettre en danger pour avancer. Je dis cela dans le sens où il faut qu'ils acceptent que certaines de leurs idées ne soient pas révolutionnaires, et que cela fait partie du processus d'apprentissage. Mais la réussite ne dépend pas que du travail, il y a aussi une part de chance qu'il ne faut pas négliger. Ce serait trop simpliste de réduire le succès ou l'échec de ses objectifs à son propre travail.

VOUS PARLEZ DES JEUNES, ALORS PARLONS DE LA QUESTION DE L'ÉDUCATION. PEUT-ON APPRENDRE À ÉCHOUER ?

Aujourd'hui, il y a plusieurs visions qui cohabitent en matière d'éducation. Je vois chez certains parents un culte profond de la performance. Ils choisissent très tôt des écoles qui valorisent la performance et demandent à leurs enfants, même dans leurs activités parascolaires, de réussir et d'être compétitifs (dans l'apprentissage d'un instrument de musique, d'un sport ou de la danse, par exemple). Si ce n'est pas modéré, cela me semble assez dangereux. L'autre vision, portée par les écoles alternatives, va dans un sens tout à fait différent. On y mise beaucoup sur l'apprentissage de l'autonomie dans l'expérience. Il y a des savoirs qui sont transmis, mais d'une façon très active. L'élève doit faire des expériences et, en agissant, il développe sa créativité (résoudre des problèmes), son autonomie et sa coopération. Aujourd'hui, les écoles publiques ordinaires favorisent cette façon de faire. Je m'inquiète néanmoins beaucoup du premier modèle, celui de la performance à tout prix, qui est mis en avant dans certaines écoles privées. Les parents qui choisissent ces écoles pour leurs enfants affirment que c'est pour leur donner toutes les chances de réussite ; c'est le paradigme de la performance qui s'impose très tôt.

POURQUOI CRAINDRE CETTE ÉDUCATION BASÉE SUR LA RECHERCHE DE LA PERFORMANCE ?

Parce que c'est mettre une énorme pression sur les enfants ! Je ne sais pas si c'est la meilleure façon de développer leur autonomie et leur originalité que de vouloir en faire des virtuoses ou de leur faire apprendre les tables de multiplication très tôt. Il y a des savoirs importants, mais les capacités les plus cruciales aujourd'hui, surtout dans notre société de l'information et de la créativité, ne s'acquièrent pas de cette façon-là. Et la conception du succès de ce type d'enseignement me semble trop étroite. Oui, la réussite professionnelle est une façon très riche de s'épanouir et de se réaliser, mais aujourd'hui, l'éducation devrait aussi nous apprendre les différentes conceptions d'une vie bonne et réussie : être un bon citoyen, concilier sa vie professionnelle et personnelle, etc. Il faut équiper les enfants pour qu'ils comprennent qu'il y a une vision plus large qui dépasse largement le culte de la performance.

VOUS PARLEZ D'UNE SOCIÉTÉ DE LA CRÉATIVITÉ. CONCRÈTEMENT, QU'ENTENDEZ-VOUS PAR LÀ ?

Nous sommes dans une société où la richesse, c'est l'esprit humain. L'économie d'aujourd'hui est une économie des savoirs et de la pensée, que l'on peut qualifier d'économie créative. La création de richesses passe par les idées, pour créer de nouveaux biens et de nouveaux services. Même pour les ressources naturelles, il faut des idées pour les exploiter d'une façon responsable et efficiente. Pour pouvoir être efficace dans cette société de la créativité, il faut pouvoir apprendre les nouveaux paramètres de la réussite.

ET DONC APPRENDRE AUSSI À ÉCHOUER...

Absolument ! Il faut comprendre que l'échec fait partie du développement. Arrêter d'échouer, c'est ne plus se mettre en danger et donc, par extension, profiter de nos acquis et plafonner.

POUR ALLER PLUS LOIN

À lire : *Du bonheur, un voyage philosophique*, de Frédéric Lenoir, ou encore *Le bonheur ou l'art d'être heureux par gros temps*, de Jean Salem.

LA RECHERCHE DU BONHEUR

WALT DISNEY

LES IDÉES,
UNE QUESTION
DE PERSPECTIVES

Films d'animation, parcs à thèmes dans le monde entier, millions de produits dérivés : l'histoire du fondateur de Disney n'est cependant pas aussi rose qu'elle en a l'air. Rédacteur dans un journal au début de sa carrière, Walt Disney a été mis à la porte pour son « manque d'imagination ». Un comble pour celui qui est aujourd'hui reconnu comme le maître de la magie pour enfants. Il créera plusieurs entreprises qui, les unes après les autres, connaîtront la faillite, avant de finalement lancer Walt Disney Studios.

REFUSER
LE STATU QUO

JEAN-FRANCOIS BOUCHARD

FONDATEUR ET ASSOCIÉ,
SID LEE

Je connais Jean-Francois Bouchard depuis une bonne dizaine d'années. Fondateur avec une bande de copains de l'université de l'une des plus importantes agences de publicité et de communication à Montréal, aujourd'hui reconnue mondialement, il est devenu l'une des figures marquantes de l'industrie. Implantée de Paris à New York, Sid Lee remporte des prix partout et a signé des campagnes publicitaires pour plusieurs grandes marques mondiales, dont le géant Adidas. Pour être très honnête, je n'avais pas tout de suite pensé à Jean-Francois Bouchard pour parler de l'échec tant il me semble être celui à qui tout réussit. Je me suis quand même décidé à lui envoyer un courriel un dimanche soir, avec ces quelques mots : « Pour mon prochain livre, serais-tu disposé à me parler de l'échec dans les semaines qui viennent ? » Il m'a donné rendez-vous le lundi suivant à la première heure dans son bureau de la rue Queen, à Montréal. Il devait finalement avoir quelque chose à me dire…

À 23 ans, alors qu'il est étudiant en design graphique, Jean-François Bouchard rencontre son futur associé, Philippe Meunier, sur les bancs d'école. «Philippe était un designer graphique de talent et il a décidé un jour de me montrer son portfolio. Il était bien meilleur que le mien! J'ai eu tellement honte qu'à partir de ce jour-là, j'ai décidé de devenir rédacteur publicitaire.» Très vite, ils deviennent amis et font équipe pour des projets à la pige. «On rêvait de travailler pour une grande agence de Montréal. On a envoyé nos candidatures un peu partout, et personne n'a voulu de nous.» Les deux amis n'obtiennent que des lettres de refus pour les candidatures posées dans les boîtes de pub montréalaises. «On a bien dû se rendre à l'évidence: on était en situation d'échec.» Ils ne se démontent pas pour autant et décident de changer leur stratégie: «Je me souviens qu'on était dans un restaurant miteux de Montréal et que Philippe m'a lancé: "*If you cannot join them, beat them.*" C'était vraiment en toute candeur, mais c'est resté, et on a décidé de créer notre propre agence. A priori, même si on avait nos projets comme pigistes, on n'avait pas envisagé d'être entrepreneurs.» Le projet Sid Lee voit le jour sous le nom de Diesel.

L'ASCENSION ET LA CHUTE

Dans ses premières années, l'agence Sid Lee connaît une expansion rapide. Trop peut-être. Premiers clients, premières publicités et premiers prix gagnés à des concours de création. L'arrivée rapide d'Internet permet de faire croître l'entreprise comme jamais: «De 1998 à

2001, on est passé de 50 à 150 employés. C'était la folie, et la plupart de nos revenus venaient d'Internet. » Jeune, dynamique, créative et un peu folle, l'agence attire les regards et bouillonne comme une fourmilière qui grossit à vue d'œil, parfois dans le chaos. Or, l'éclatement de la bulle économique de 2001, qui a vu plusieurs entreprises faire faillite un peu partout dans le monde, a aussi frappé Montréal : « À cause de cette crise, du jour au lendemain, on a dû mettre à la porte 100 personnes parce qu'on avait perdu la majeure partie de nos grands clients dans le domaine des nouvelles technologies. » Les associés doivent se rendre à l'évidence : la survie de l'agence dépend de leur capacité à rebondir, et vite : « On n'a pas eu le temps de se morfondre. On s'est mis en mode survie et on a dû trouver des solutions rapidement. » Premier enjeu : gérer les employés qui restaient et dont le moral était au plus bas parce qu'ils avaient perdu les deux tiers de leurs collègues : « Parfois, l'adversité divise et détruit les équipes. Dans notre cas, notre culture était si forte qu'elle a fait en sorte que les gens se sont serré les coudes pour passer au travers. » Ensuite, la nature même de l'entreprise a dû être revue : « Avec le temps et l'obtention de ces gros contrats numériques, on avait peu à peu perdu notre essence, soit l'interdisciplinarité et le mélange des talents et des énergies. Avec du recul, cet échec, ou cette crise, nous a permis de nous recentrer, de nous mettre en mode "nouveau départ". » La petite équipe décide de revenir à l'essentiel : une boîte de création qui se distingue par son approche interdisciplinaire, mélangeant publicité, design, architecture et interactivité. « On n'a presque pas eu de période tampon. Nous avons recommencé à être compétitifs, et même plus qu'avant, car nous étions plus

> « **Il faut toujours viser la Lune, car même en cas d'échec, on atterrit dans les étoiles.** »
> — Oscar Wilde

focalisés sur notre mission. » Mais, sur le moment, ce premier gros échec n'a pas tout de suite été vu comme une chose positive : « On n'avait jamais eu un si gros pépin, et ça a pris du temps avant d'avoir le recul nécessaire pour analyser cet épisode de notre histoire et en voir les bénéfices. Dans l'action, on est juste restés motivés et solidaires, c'est tout ! »

RESTER OFFENSIFS

Après 2000, l'agence connaît à nouveau une forte poussée de croissance. Elle remporte plusieurs prix prestigieux à des concours de création au Québec et à l'international. Elle décroche plusieurs mandats publicitaires de grandes marques mondiales, dont le géant du sport Adidas. Elle agrandit ses bureaux et jouit d'une réputation qui fait bien des envieux au Québec. « On était dans une période folle, on construisait, on ouvrait des bureaux un peu partout, on voulait le monde ! » Et une autre bonne nouvelle arrive alors des États-Unis : le groupe électronique Dell leur confie une partie de ses communications mondiales. Jean-François et son équipe engagent 100 personnes dans le temps de le dire et ouvrent un bureau satellite à Austin, au Texas. « Le problème, c'est qu'on a rapidement perdu le client. On a dû à nouveau congédier des gens et se questionner sur la suite, mais comme on avait déjà vécu une crise majeure, on a décidé de ne pas rester en mode défensif et de pousser encore plus notre développement. » C'est pendant ce moment difficile que Jean-François et ses associés décident d'ouvrir un bureau à New York. «Le pari pouvait sembler fou, mais on savait qu'il fallait prendre de grandes décisions. Avec du recul, nos plus grands échecs ont aussi été les périodes les plus fertiles pour innover, pour développer.» Quel est le secret d'une telle résistance? «On mise beaucoup sur nos forces, et un échec nous oblige à nous concentrer sur ce que l'on sait faire de mieux. On ne veut pas laisser une crise nous dénaturer, on veut prendre les devants pour corriger le tir et foncer dans une direction.» Le découragement, très peu pour eux.

LA BONNE NOUVELLE, C'EST QUE...

Tout au long de son parcours d'entrepreneur, Jean-François Bouchard a appris à gérer l'échec: «On a tout appris sur le tas. Le premier échec se vit à la dure, les suivants te forcent à adopter une vraie stratégie.» Échouer avec une stratégie, vraiment? «La première stratégie est de prendre des risques en pensant à l'éventualité d'un échec.» En soi, la possibilité d'un échec est bien meilleure que l'inaction: «Je refuse le statu quo: c'est parce que ce n'est qu'en essayant qu'on apprend, et donc qu'on réussit.» Quand la jeune entreprise qu'il a cocréée décide de se lancer sur le marché international, tous les associés ont déjà planifié un éventuel échec: «Le plan A, c'était qu'on allait réussir du premier coup. Mais, on avait un plan B dans notre poche. On s'était imaginé que rien ne fonctionnerait. Et dans cette éventualité, on savait qu'on allait acquérir de l'expérience internationale qui allait nous rendre plus compétitifs sur le marché québécois, même si on perdait de l'argent au passage. »

C'est avec la conscience des bénéfices de ses échecs que Jean-François Bouchard appréhende aujourd'hui ses projets. « À part les enjeux financiers (et donc les pertes de talents humains qui en découlent), un échec en entreprise est toujours une façon de resserrer les choses, et en fin de compte d'augmenter les profits et d'être plus solide pour se développer. » Car un échec se produit bien souvent pour des raisons qui, une fois analysées, peuvent devenir des forces. La principale difficulté, c'est de s'habituer à échouer souvent : « Avec l'âge, on devient moins tolérant au chaos, à l'échec. Avec du recul, je ne sais pas si j'aurais la force de recommencer ce qui s'est passé lors de la crise de 2001. Je suis moins en mode survie aujourd'hui. » Cette maturité ne l'empêche pas pour autant de prendre des risques : « On se lance encore dans des projets en se disant que ça peut échouer, mais on arrive à rester plus calme. Et c'est généralement plus facile d'y voir clair pour affronter un moment difficile. » Aujourd'hui, quand Jean-François se trouve dans une position difficile ou qu'il doit faire face à un échec, il se récite toujours cette phrase : « La bonne nouvelle, c'est que... » « Il faut se mettre dans un état d'esprit positif pendant un échec, même si cela peut paraître difficile. Par exemple, la bonne nouvelle, c'est que... on ne l'aimait pas tant que ça, ce client, ce projet ou cette idée-là. Je trouve parfois que, dans le monde des affaires, on devrait davantage tolérer l'échec. Regardez les politiciens : ils se prennent des claques tous les jours ! Ils ont dû développer une vraie résistance, et on devrait s'en inspirer. Il y a des vertus positives à tout cela ! »

S'il se vit pour soi, l'échec se vit aussi dans le regard des autres : « Souvent, on agonise un peu trop avant un échec en se demandant ce que les gens vont en penser, quel sera l'impact sur notre réputation. Mais qui se souvient vraiment de nos insuccès passés ? Ce qui est derrière nous est derrière nous. Personne ne nous parle de notre crise de 2001, mais tout le monde se souvient de ce qu'on a réussi. » Cette perception dans le regard des autres est le facteur qui ralentit le plus les entrepreneurs selon Jean-François Bouchard. Pour permettre aux équipes de son entreprise de se libérer du poids des échecs éventuels, il a créé deux cérémonies pour les employés : les *rock-on awards*, qui récompensent les bons coups, et les *morrons awards*, qui récompensent les pires ratés. Si la seconde cérémonie se veut humoristique, elle cherche surtout à dédramatiser les « ratages » que vit tout un chacun dans son quotidien : « Il faut pouvoir rire de ce qui n'a pas fonctionné et en tirer des leçons plutôt que de développer de la honte. Sinon, on n'essaiera plus jamais rien. »

Même chose avec le projet extraprofessionnel Sid Lee Collective, qui permet à des employés de la boîte de recevoir du financement pour des projets personnels ou exploratoires. « On a ancré ça dans la culture de l'entreprise. Si ça ne fonctionne pas, ce n'est pas grave, mais au moins, on aura essayé. » Mais attention, Jean-François Bouchard ne vénère pas l'échec pour autant : « Quand un employé échoue quelque chose, je me demande si j'aurais fait mieux, et dans 99 % des cas, j'arrive à la même réponse : non. On a le droit de se planter, on a le droit d'apprendre, mais on ne doit pas pour autant tout faire pour échouer ! » À l'été 2015, le groupe Sid Lee a été en partie acheté par le collectif japonais Kyu, un groupe de communication mondial. Pour Jean-François Bouchard, ce qui a séduit les dirigeants de ce groupe, ce sont précisément les échecs passés des entrepreneurs : « C'est comme si on avait eu une médaille. Avoir traversé deux crises majeures, c'est aussi un gage de qualité, de persévérance et de créativité. Je crois qu'on n'est pas un entrepreneur complet si on n'a pas connu de véritable gros échec. »

APPRENTISSAGE ET ÉQUILIBRE

Le piège ? « Le confort artificiel dans lequel on peut se complaire lorsqu'on pense avoir du succès. Pour moi, les succès et les échecs ne se mesurent pas en fonction de la réussite de tel ou tel projet ou de la perte de tel ou tel mandat. Le vrai succès, c'est celui d'avancer, d'évoluer. »

Cette évolution constante forge un certain équilibre qui, dans la vie professionnelle comme dans la vie personnelle, est la recette du bonheur et du succès selon Jean-François Bouchard. « Au début de ma carrière d'entrepreneur, je concevais ma vie par priorités, toutes classées à la verticale : le travail en premier, même si je ne me l'avouais pas, ensuite les enfants, ma blonde, etc. Dans une journée, après avoir passé la majeure partie de mon temps au travail, je me suis rendu compte qu'il ne me restait plus d'énergie pour le reste, et que je n'étais pas heureux. J'ai commencé à mettre mes priorités à l'horizontale. Et je me suis efforcé, chaque jour, de réserver un peu de temps pour tout : parler à mes enfants, prendre soin de moi, etc. J'ai perdu 10 livres, et j'ai sur-

147

tout commencé à trouver du bonheur dans cet équilibre. »
Jean-François ne changerait rien à cet acquis : « Même si
je dirigeais une entreprise de 10 000 000 000, si je ne pouvais pas gérer le reste de ma vie en harmonie, ce serait
pour moi un échec. » Si Aristote tentait à son époque de
définir la recette d'une « vie bonne », Jean-François Bouchard semble en avoir trouvé le chemin... avec le temps.

VIVRE AU-DELÀ DES CERTITUDES

CHRISTIANE CHARETTE

ANIMATRICE ET PRODUCTRICE

« Alors, vous voulez vraiment qu'on parle d'échec ? » On a échangé deux courriels, puis on s'est donné rendez-vous au café Bagel etc., rue Saint-Laurent, à Montréal, en pleine braderie. Du parcours de Christiane Charette, une chose m'étonne : des fins abruptes, des choix parfois radicaux et une liberté qui m'apparaît totale, chose rare dans le monde des médias. « Si ce que je vous dis n'est pas d'intérêt pour votre livre, promettez-moi de me couper au montage. Vous promettez ? C'est important. » Et parce que les pires échecs de Christiane Charette peuvent aussi être vus comme ses plus grands succès, j'ai tout gardé de notre précieuse entrevue.

Christiane Charette, après des études en arts visuels et en histoire de l'art, travaille au Musée des Beaux Arts de Montréal comme conservatrice adjointe : « J'aimais le milieu dans lequel je travaillais, c'était un monde où j'étais bien, mais j'y ai développé une sorte de frustration. Je me suis rendu compte que je ne voulais pas être la personne qui organise des expositions : je voulais être la personne qui fait la performance. » Premier choix pour elle : si elle ne se considère pas comme une actrice, elle suit les traces de son père, Raymond Charette, animateur à Radio-Canada, et décide de percer dans les médias. « Une fois que ma décision de quitter le musée a été prise, j'ai eu des regrets parce que je quittais un emploi que j'adorais. » Trois ans, c'est le temps que passe Christiane Charette à chercher du travail à la radio ou à la télé. « J'ai très mal vécu cette transition, je n'avais aucun contact, pas même avec mon père, ce qui est un peu ironique vu son métier. Je ne voyais vraiment pas comment j'allais y arriver. » À force de persévérance et en acceptant des contrats de promotion au musée pour payer ses factures, elle commence comme chroniqueuse remplaçante à la radio. De fil en aiguille, on lui donne quelques chroniques télé, puis elle commence à faire sa place. On lui propose rapidement des contrats d'animation, ce qu'elle refuse pendant 10 ans : « Je n'avais pas d'expérience, mais je savais que je ne voulais pas animer comme on me le proposait. J'avais une idée très claire de ce que je voulais faire. » Pendant ce temps, elle continue d'être chroniqueuse, à la fois à la radio et à la télé, notamment à l'émission *Bon Dimanche* : « La chose extraordinaire quand on est chroniqueur, c'est qu'on maîtrise complètement son segment, et je ne voulais pas perdre cette liberté. » Une femme libre, dès ses débuts.

LE TROU NOIR

En 1991, elle accepte une proposition en or : animer la case horaire du matin à la radio de Radio-Canada. Trois ans de quotidienne, qui se terminent abruptement en 1994. « Au début, c'était difficile, il m'a fallu m'adapter au rythme. Puis j'ai trouvé le *beat*, et on a arrêté l'émission à la fin de la saison, comme ça, parce que deux personnes ne s'entendaient pas dans l'équipe et qu'on n'arrivait pas à régler ce conflit. J'étais dévastée. » Son été 1994, elle s'en souvient comme si c'était hier : « Ç'a été un grand trou noir. Un effondrement. Je venais de réaliser mon rêve d'être en ondes tous les jours comme animatrice et on me coupait le micro. J'avais la sensation que je ne pourrais plus jamais retravailler, que je perdais non seulement mon métier, mais aussi, en quelque sorte, mon identité. » Le milieu de la radio et les journalistes se disaient à l'époque choqués de cette décision radicale qui fermait le micro d'une émission qui fonctionnait bien. Christiane, elle, pense à son nom : « Je n'étais pas assez connue pour me trouver une place ailleurs. Je m'étais fait un nom comme chroniqueuse, mais bien franchement, je ne voyais pas comment me replacer comme animatrice. » Et puis, à la fin de l'été, la réaction du public et du milieu en sa faveur ont fait sonner son téléphone : « La télé est venue me chercher. On m'a proposé des contrats. Avec du recul, c'est cet échec qui a donné le plus gros élan à ma carrière ! » Elle surmonte donc cette épreuve grâce à la réaction du public et du milieu. « Je ne me suis pas dit que ce n'était

> **« Il y a toujours une vie après l'échec, la mort seule est définitive. »**
> **— Yasmina Khadra**

pas grave, que je prendrais la prochaine proposition. Je ne suis pas comme ça. Ce sont les autres qui m'ont permis d'y croire encore. Ce n'est pas moi qui ai trouvé les ressources pour m'en sortir. » Ce premier échec restera celui qui l'a le plus marquée jusqu'à aujourd'hui : « Mon métier est très limité. Je ne peux pas animer un gala ou un autre contenu qui n'est pas le mien. Je travaille sur mes concepts ou ceux de mon équipe, et je ne le fais pratiquement qu'en direct. Pour moi, animer est un tout, incluant le contenu, les plans de caméra, l'éclairage. Avec du recul, je crois que mon rêve a été près de s'effondrer. »

ÉPUISEMENT DU SUCCÈS

Lorsque la télé de Radio-Canada lui propose une quotidienne, elle n'est pas prête à faire de concessions : « Je ne voulais pas de compromis et j'avais été échaudée par ma première expérience d'animation à la radio. J'ai pris un agent et j'ai fait une liste de demandes, dont la première était le direct. » *Christiane Charette en direct* est un vrai succès et l'émission offre des moments marquants, comme lorsque Marie-Josée Croze y a appris qu'elle remportait le prix d'interprétation féminine du Festival de Cannes pour son rôle dans le film de Denis Arcand, *Les invasions barbares*. « J'ai gagné tellement de prix avec cette émission : des Gémeaux, deux Métrostars (dont celui de la meilleure animation de magazine culturel) et, plus étonnant pour l'époque vu ma case horaire, celui de la personnalité féminine de l'année. C'était tellement inhabituel pour Radio-Canada qu'on a demandé un recomptage pour voir si ce n'en était pas une erreur ! »

Elle reste sept ans en ondes, sept années de succès, avant de faire un épuisement télévisuel : «Je n'en pouvais plus de me voir la face, j'étais écœurée, une sorte de blocage total. Je ne voulais plus entendre parler de télé. Je ne voulais plus me voir.» On lui propose une nouvelle émission en 2004, qu'elle est sur le point d'accepter avant de changer d'avis : «J'ai beaucoup réfléchi, j'avais la lettre d'entente dans ma poche, mais je n'avais pas le courage de retourner en ondes.» Elle demande à Radio-Canada de faire de la radio, mais, à ce moment-là, il n'y a pas de place pour elle. «Je suis retournée à la maison. J'étais angoissée, mais je suis retournée à la maison quand même. Je ne me suis pas dit que je prendrais la prochaine occasion. Je vis toujours avec cette angoisse qu'il n'y en ait plus d'autres, que je vais manquer d'argent. Une sorte de nuage noir !» Finalement, pas de nuage noir pour Christiane Charette, puisque la radio lui propose de reprendre la case horaire de l'émission du matin qu'elle avait eue à ses débuts : «On m'a redonné la place qu'on m'avait arrachée. La radio, pour moi, c'est l'abandon du corps, et à cette époque, ça me correspondait mieux.» Elle y reste cinq ans, en format quotidien, avant de partir : «C'était dans l'air du temps. J'ai préféré partir plutôt que de prendre le risque d'être moins heureuse.» Ce choix aussi est difficile à vivre : «J'étais sûre que je prenais la bonne décision, mais je n'ai pas pu m'empêcher de me demander s'il y aurait encore de la place pour moi à la radio parlée. Est-ce que j'ai vécu cette période comme un échec ? Non, pas du tout. Je ne vois pas mes décisions comme des échecs, mais je l'ai mal vécue quand même. Je vis toujours tout mal.»

GÉRER LES MICROÉCHECS

En dépit de son premier échec à la radio, qui a dicté la suite des choses, Christiane Charette vit aussi dans la hantise des microéchecs, comme celui de « rater son *show* », une angoisse qui la pousse à remettre en question, juste avant d'entrer en ondes, l'ensemble du contenu des émissions qu'elle produit : « Les gens qui travaillent avec moi le savent, je peux refaire le "*line-up*" des invités cinq minutes avant que les caméras s'allument. Je regarde toutes les autres émissions, je veux tout voir pour prévoir qui sera le meilleur invité, où le placer dans le déroulé de l'émission et avec qui. » Mais parfois, malgré tout, ce n'est pas un succès : « Si j'ai raté des émissions ? Oh ! Mon dieu, oui ! Parfois, j'animais une émission et pendant que l'invité parlait, je me disais : "Merde, on n'aurait pas dû commencer par lui." Certaines émissions me déçoivent, et dès que les caméras s'éteignent, je veux juste m'isoler tout de suite avec mon équipe pour faire le bilan de ce qui vient de se passer. »

Christiane a appris à gérer ses échecs en équipe : « Je suis la reine des idées noires. Je ne connais pas le fond du puits. Rater une émission pouvait m'anéantir si je n'avais personne avec qui en parler, mais ce qui est extraordinaire dans le fait de se réunir avec son équipe après une émission, c'est qu'un échec peut soudainement devenir créatif. »

On se questionne sur ce qu'il faudra faire la prochaine fois pour l'éviter. On apprend. Mais il faut en parler. » Un jour, alors qu'elle se dirige vers une salle de réunion après un direct, elle croise l'un des dirigeants de Radio-Canada qui lui lance à la blague : « Ne vous flagellez pas trop fort ! » Mais ces remises en question permanentes, c'est sa façon à elle de s'améliorer et de tirer des leçons de ce qui fonctionne moins bien.

UNE QUESTION DE PERSPECTIVE

En 2001, sur le plateau de son émission de télé à Radio-Canada, elle mène une entrevue musclée avec l'ancien premier ministre Bernard Landry. Une entrevue devenue culte qui a laissé sa marque tant positivement que négativement : « Pendant que je faisais l'entrevue, je sentais que tout était très tendu. Durant les pauses publicitaires, l'équipe de Bernard Landry se réunissait autour de lui pour faire le point. Ils parlaient contre moi, je le sentais. Mais j'ai fait cette entrevue, et à la fin de l'émission, j'en ai été assez satisfaite. » Elle se couche sereine ce soir-là, mais elle se réveille pendant la nuit : « Un pressentiment. J'ai allumé la radio et on ne parlait que de ça. À cette époque, les médias sociaux n'existaient pas, alors la réaction n'arrivait pas tout de suite. Ce réveil du lendemain a été atroce. On a tellement dit du mal de moi, je me disais que ça ne se pouvait pas. Je voulais me cogner la tête contre les murs. » Critiquée pour cet échange musclé, la direction de Radio-Canada fait ses excuses à Bernard Landry et demande à l'animatrice de faire de même, ce que Christiane Charette refuse après avoir fait appel à des avocats : « Ils ont regardé l'entrevue et m'ont dit que je n'avais pas à m'excuser. Ça m'a aidée dans mon processus de reconstruction. »

Sur le moment, si cette entrevue semble un échec médiatique, elle devient rapidement emblématique de la carrière de Christiane : « Si vous me demandez quelle a été ma meilleure et ma pire entrevue, et bien c'est celle-là ! Avec du recul, je pense que ç'a été un succès. Ça m'a donné une notoriété que je n'avais pas, même si beaucoup voient encore aujourd'hui ce moment comme un échec dans ma carrière. » Cet épisode la traumatise tant cependant qu'elle en perd quasiment la voix pendant le reste de la saison, épuisée d'avoir dû traverser cette mer d'émotions et de jugements. Parce que pour une personne publique, ce jugement du public et des médias rend très particulière sa façon d'appréhender l'échec ou la réussite : « Il y a la façon dont je ressens les choses et dont je les vis, échecs ou succès, puis il y a le regard des autres et le fait que cela soit discuté publiquement. Ça change et teinte le regard que je porte sur mon travail. »

A-t-elle réussi dans la vie ? « Je ne pourrais jamais dire ça. Je voulais être animatrice, j'ai réussi à être animatrice. Je voulais être productrice, j'ai réussi à être productrice. Je voulais faire de la photo, j'ai réussi à en faire un peu plus qu'un passe-temps. Mais mon parcours est raboteux, difficile, j'arrête tout le temps, et j'ai besoin de périodes d'introspection pour avancer. » Si elle veut faire les choses à sa manière, c'est parce que c'est pour elle la seule façon de faire : « C'est comme avec la musique : j'adore danser, mais si je n'aime pas le rythme, je ne danserai pas du tout. » Tout ou rien, diront certains. Son dernier projet télé en date, c'est l'émission *125, Marie-Anne*, à Télé-Québec. Même si elle n'a pas été reconduite après trois ans d'antenne, cette émission reste pour elle un succès : « On s'est amélioré, et j'ai beaucoup aimé la faire. Je suis aussi très consciente que je fais un métier d'éphémère et que c'est ce que j'ai choisi en quittant le musée à l'époque. Cette job stable-là, je ne l'ai plus. Je n'ai pas de certitudes dans la vie, mais ce qui fait que je reste positive, c'est justement cette peur de ne pas y arriver, de ne plus revenir. » Le parcours de Christiane Charette montre un autre visage de l'échec et du succès. Là où certains sont prêts à toutes les concessions pour faire aboutir un projet, elle ne fait jamais de compromis. Là où certains foncent sans se poser de questions, elle prend le temps de l'introspection. Elle arrête, se reprend, avec un seul objectif : ne pas perdre cette passion qui l'anime. Et dans un monde où tout va vite, où tout doit parfois se décider en quelques secondes et où l'on juge d'un succès ou d'un échec en quelques images sur les réseaux, Christiane Charette va à contre-courant. Et cela fait un bien fou de suivre son rythme.

ALBERT EINSTEIN

APPRENDRE AUTREMENT
ET RÉUSSIR

Prix Nobel de physique, découvreur de l'effet photoélectrique et père de la théorie de la relativité, Albert Einstein est une figure marquante de l'histoire et fait partie de ceux qui ont fait évoluer le monde. Enfant, il avait cependant de grandes difficultés d'apprentissage et de communication. En suivant sa propre voie et en ne se conformant pas au moule rigide de l'éducation de l'époque, il a su réussir ses projets et devenir celui qu'il est devenu.

APPRENDRE
À RÉUSSIR

L'AVIS DU PROFESSEUR EN
ADAPTATION SCOLAIRE ÉGIDE ROYER

Psychologue et professeur associé en adaptation scolaire à l'Université Laval, spécialiste de la réussite scolaire et des problèmes de comportement à l'école, Égide Royer a fondé, en 1994, le Comité québécois pour les jeunes en difficulté de comportement (CQJDC). Il travaille en ce moment sur la question de la prévention de l'échec et de l'abandon scolaires, sur l'intervention en classe pour prévenir les problèmes de comportement ainsi que sur la réussite scolaire des garçons en difficulté. L'un de ses livres, *Persévérance* (*École et comportement*, 2015), traite de ce qui permet aux jeunes de ne pas décrocher de l'école et de faire face à leurs échecs.

Pour moi, la question de l'échec est intimement liée à notre éducation familiale et scolaire. Dès l'enfance, l'école valorise la performance. Elle nous apprend à travailler pour accéder au niveau supérieur. Les notes de passage conditionnent ou non l'obtention de ce statut. L'école forge aussi les comparaisons et, forcément, valorise la concurrence, mais nous apprend-elle à bien gérer nos échecs ?

LES ÉCHECS SCOLAIRES SONT BIEN SOUVENT CEUX QUI « CONDITIONNERONT » CERTAINS ASPECTS DE LA RÉUSSITE PROFESSIONNELLE. QU'EST-CE QUI PERMET À UN JEUNE DE RÉUSSIR À L'ÉCOLE ?

Un jeune élève qui arrive en première année avec un intérêt pour la lecture, qui a des relations amicales et qui est entouré par sa famille a toutes les chances pour réussir à l'école. D'un angle plus psychologique, un jeune ayant des parents qui lui donnent confiance en lui et qui, d'une manière générale, est heureux apprendra à l'école et s'y sentira en sécurité. Je travaille avec des jeunes qui ont des difficultés à l'école. Un enfant de six ans, en première année, qui développe un retard en lecture, qui a des problèmes sociaux, qui crie, qui frappe d'autres enfants, qui est à l'écart des autres ou qui a de la difficulté à suivre les consignes des adultes est déjà très à risque. Et deux fois plus de garçons que de filles correspondent au portrait que je viens de faire.

POURQUOI ?

Les garçons et les filles n'ont pas le même niveau de maturité verbale et leur développement n'est pas le même. Je crois que l'on peut aussi poser la question : est-ce que les écoles sont « garçons-*friendly* », est-ce qu'elles répondent bien à leurs intérêts ? Très honnêtement, je pense qu'il faudrait avoir un apprentissage plus adapté à leurs besoins. Trois garçons pour une fille présentent des difficultés de comportement et deux garçons pour une fille éprouvent des difficultés d'apprentissage. Il y a donc une surreprésentation des garçons lorsque l'on parle d'échec scolaire. Et les écoles ne réa-

APPRENDRE À RÉUSSIR

163

gissent pas toujours bien à l'intensité motrice des garçons, qui est très différente de celle des filles. Alors pas étonnant, dans ce contexte, que les garçons soient plus touchés par l'échec scolaire.

LES ÉCOLES NE MISENT-ELLES PAS TROP SUR LA RÉUSSITE ? NOUS ENSEIGNE-T-ON À TIRER DES LEÇONS DE NOS ÉCHECS ?

Ne pas forcément réussir tout de suite fait partie de l'apprentissage. Le rôle de l'éducation est d'aider les enfants à découvrir ce dans quoi ils sont bons et de cultiver leurs habiletés propres. Cela va de la musique à l'entrepreneuriat. Il est très clair que si l'enfant grandit dans une école qui valorise l'échec dans l'apprentissage et qui permet à l'enfant de reconnaître ses forces et ses faiblesses, alors l'éducation aura rempli son rôle. Un garçon sur trois et une fille sur cinq n'ont aucun diplôme à la fin de leurs études secondaires. C'est énorme. On peut se demander si l'école permet vraiment de développer les intérêts des élèves. La probabilité d'obtenir un diplôme d'études collégiales au Québec pour les garçons est de 38 % et de 62 % chez les filles, tandis que celle d'avoir un bac à l'université est de 41 % chez les filles et de 26 % chez les garçons. C'est donc certain qu'il y a une perte de talents en cours de route. Au vu des chiffres, force est de constater qu'on a encore du travail à faire. La base de notre éducation scolaire, c'est l'école élémentaire. Il faut pouvoir y acquérir des connaissances de base qui pourront ensuite être approfondies et spécialisées. Je vois encore

> « Il n'y a pas d'enfants stupides, il n'y a que des éducations imbéciles. »
> — Raoul Vaneigem

trop de jeunes qui arrivent au secondaire avec des retards scolaires issus du primaire, retards qui hypothèquent leur avenir.

BEAUCOUP D'ENTREPRENEURS QUI ONT RÉUSSI AVOUENT AVOIR DÉCROCHÉ DE L'ÉCOLE PARCE QU'ILS NE S'Y RECONNAISSAIENT PAS. N'Y A-T-IL PAS LÀ UN MESSAGE ?

Vous savez, les entrepreneurs qui ont décroché de l'école et qui ont réussi, on en parle. Mais pour tous ceux qui ont décroché de l'école et qui ont réussi, il y a aussi tous ceux qui n'ont pas réussi. Ceux-là, on n'en entend jamais parler. Oui, bien sûr, Céline Dion, pour ne nommer qu'elle, connaît une brillante carrière et n'a pas son diplôme d'études secondaires, mais regarder les choses comme cela, c'est prendre les exceptions et en faire des règles. Même chose du côté des entrepreneurs.

DANS VOTRE LIVRE *PERSÉVÉRANCE,* VOUS ABORDEZ LA PERSÉVÉRANCE COMME ÉTANT FONDAMENTAL DANS LA RÉUSSITE. EST-CE QUE CET ENJEU EST LA CLÉ DU SUCCÈS À L'ÉCOLE ?

À intelligence moyenne, un individu qui a beaucoup de persévérance, qui est capable de se fixer des objectifs à long terme et qui est chanceux réussira. Si vous êtes convaincu que plus vous essayez, plus votre probabilité de réussir est grande, alors vous avez assimilé le concept de persévérance. Je suis sûr que plusieurs personnes n'ont pas réussi alors qu'elles étaient à un ou deux essais d'y arriver. La persévérance découle de la perception de notre efficacité personnelle, des histoires qu'on se raconte sur notre capacité à se reprendre pour réussir. Et cette idée d'être capable de se reprendre, c'est quelque chose qui se cultive. Les gens développent un narratif personnel, c'est-à-dire une histoire sur eux-mêmes, sur leur vie. Par exemple, un jeune de 15 ans qui échoue à un examen peut réagir de deux façons : penser fondamentalement que quoi qu'il entreprenne, cela ne fonctionne jamais, parce que c'est le narratif qu'il a développé sur lui, ou il peut aussi se dire « je vais travailler encore plus fort, parce que je sais que quand je travaille plus fort, généralement, je réussis ». C'est le même examen et c'est le même petit gars. Mais le narratif qu'il a développé de lui est différent et le poussera à persévérer ou non. C'est la même chose pour les entrepreneurs qui échouent. C'est leur persévérance qui finit par les faire arriver à leurs fins. Et comprenez-moi bien : la persévérance ne se contrôle pas complètement. Si la posture mentale par rapport à la réussite ou à l'échec de nos objectifs est maîtrisable, le facteur chance, lui, ne l'est pas. Un autre bon exemple, en dehors de l'éducation, serait le Canadien de Montréal ; regardez comme certains joueurs développent un narratif fort durant une saison difficile. Ils ont échoué à cause de ceci ou de cela, et s'ils font ceci ou cela, ils pourront se reprendre. L'important pour les partisans, c'est l'histoire positive ou négative qu'on leur raconte pour justifier une situation. Je suis sûr que plusieurs personnes n'ont pas réussi alors qu'elles étaient à un ou deux essais d'y arriver.

MAIS EST-CE QUE LE SYSTÈME SCOLAIRE ET LES PARENTS PERMETTENT AUX ENFANTS D'ÉCHOUER ET DE RECOMMENCER ?

Dans chaque école, dans chaque foyer, la tolérance au risque est différente. La persévérance est une posture mentale qui se développe. Pour pouvoir persévérer, il faut être dans un climat propice à l'apprentissage, et le système scolaire n'explique pas tout : le milieu familial est important. Je vois certains parents (que j'appelle des parents hélicoptère) vouloir protéger leur enfant de tout, et ce, dès le plus jeune âge. Les produits autour de nous renforcent ce sentiment de protection (téléphone cellulaire, moniteur pour chambre de bébé, etc.). Nous finissons par avoir peur d'avoir peur, même si cela part d'une idée louable de protection. Mais une fois que les enfants sont à l'école, ce type de comportement, cette extrême intolérance au risque, et donc à l'échec, les empêche d'essayer et de comprendre que l'on ne réussit pas toujours du premier coup. Autrement dit, ces enfants ne peuvent pas apprendre ce qu'est la persévérance. Le juste milieu s'apprend par mimétisme : si vous avez vu dans votre entourage ou dans votre famille des gens essayer des choses et se planter, puis recommencer et réussir, vous serez plus susceptibles de les imiter. Un enfant qui voit ses parents persévérer devant un échec profitera forcément de cette influence positive dans sa vie. Et si, en plus d'un bagage familial qui ne favorise pas la prise de risque, vous grandissez dans un environnement scolaire qui ne valorise pas l'essai et erreur, il est très probable que vous développiez une forme de crainte. Dans des cas extrêmes, certains auront peur de tout, mais en règle générale, la majorité des gens savent prendre des risques contrôlés pour réussir ou être heureux dans la vie.

PLUSIEURS MODÈLES D'ÉDUCATION COHABITENT, DONT CELUI DES ÉCOLES ALTERNATIVES. SONT-ELLES PLUS FAVORABLES À L'APPRENTISSAGE ?

Vous savez, selon les données que nous avons, les jeunes qui arrivent au secondaire de différents types d'enseignement ont tous les mêmes habiletés. Par contre, certains élèves ne sont pas faits pour des enseignements où le cadre est moins rigide. J'ai l'exemple de ce professeur d'une école alternative qui m'a un jour appelé parce qu'il ne savait pas quoi faire avec un élève qui ne fonctionnait pas bien dans ce type de système. Dans un cadre plus conventionnel, il était plus facile pour cet élève de suivre des règles claires.

VOUS PARLEZ SOUVENT DU CONCEPT DE *NUDGE*, OU COUP DE POUCE EN FRANÇAIS...

Oui, le *nudge*, ou coup de pouce, est l'option par défaut. C'est un procédé qui a pris de l'ampleur depuis les 15 dernières années dans les politiques publiques un peu partout dans le monde. Lorsque Barack Obama est devenu président des États-Unis, il a pris plusieurs mesures politiques en offrant des choix par défaut : la santé, l'éducation, etc. Un bon exemple, c'est lorsque, par défaut, votre carte d'assurance maladie tient pour acquis que vous voulez donner vos organes. C'est un coup de pouce. On vous incite à le faire parce que c'est le choix prédéfini. Si vous ne souhaitez pas donner vos organes, vous devez en faire la demande. Même chose dans les cantines scolaires ou dans certains établissements : des études ont démontré que lorsque les desserts étaient placés sur les tablettes inférieures et que les fruits étaient eux à hauteur des yeux, alors la consommation de fruits était plus importante que celle des desserts. Pour l'école, c'est la même chose : si elle est obligatoire jusqu'à 18 ans et que vous voulez décrocher avant, il vous faudra demander une dérogation, une permission. Ce coup de pouce vous incite à faire un choix de persévérance et donne une image plus positive de ceux qui poursuivent leurs études. Certaines écoles organisent chaque semaine des activités qu'elles appellent « testostérone littéraire ». Comme les garçons lisent moins et sont plus sujets au décrochage, ces écoles invitent les enfants, leur père et leur grand-père à faire des lectures ensemble. C'est aussi un de coup de pouce, un incitatif pour les encourager à lire. Même chose avec l'ensemble des produits technologiques que nous utilisons : il y a certains choix par défaut qui sont faits pour vous. Et ces choix, dans une certaine mesure, font la norme sociale.

SELON VOUS, EST-CE QUE LA CONCEPTION QUE LES ENTREPRENEURS ONT DE L'ÉCHEC EST DIFFÉRENTE DE CELLE DU GRAND PUBLIC ?

Je viens d'une famille d'entrepreneurs : l'échec en entrepreneuriat, et plus généralement en affaires, c'est commun. Si vous ouvrez un restaurant dans une rue qui en compte 10, combien de ceux-là seront toujours ouverts dans quelques années ? La probabilité d'un échec est grande. Et en général, en affaires, on passe plus de temps à échouer qu'à réussir. Et il suffit d'une réussite pour oublier ses échecs. Cet état d'esprit se forme dès l'école : un jeune qui apprend à concevoir un échec comme une façon d'apprendre et de recommencer est un jeune qui augmente ses chances de réussir en affaires. Cette façon de percevoir l'échec comme un apprentissage est une habileté essentielle pour s'adapter tout au long de sa vie et développer de la persévérance, tant professionnellement que personnellement. Si l'école et le milieu familial apprennent à l'enfant que la réussite s'acquiert en travaillant, avec des efforts, et qu'il faut persévérer pour y arriver, alors il développe sa confiance en ses capacités d'apprentissage. Et c'est essentiel pour fonctionner ensuite en société.

RÉSILIENCE

En psychologie, la résilience consiste à prendre acte d'un événement traumatique et à se reconstruire pour y faire face. Étymologiquement, le mot renvoie à la résistance et au rebond. Lors d'un échec, les personnes résilientes utiliseront cet échec pour en tirer des conclusions positives et faire preuve de créativité pour rebondir sur autre chose.

QUE DEVRAIT-ON FAIRE POUR MIEUX PRÉPARER LES JEUNES À DÉVELOPPER CETTE CONFIANCE ?

Permettre à un élève de réussir à l'école, c'est parfois lui donner la seconde chance qu'il n'a pas eue dans un milieu familial difficile, ou lui donner les modèles d'apprentissage qu'il n'a pas eus. Une personne qui réussit à l'école inspirera par la suite ses enfants et ses petits-enfants, et c'est une influence considérable ! On doit aussi se poser la question de l'éducation actuelle et de ces écoles qui sont parfois trop centrées sur les émotions («comment te sens-tu?»), réfractaires au risque («ne fais pas ci, ne fais pas ça, c'est dangereux»), critiques de la compétition («on va le faire tous ensemble, on va réussir tous ensemble») et sédentaires («on ne fera pas cela parce que c'est trop compliqué à mettre en place»). Forgent-elles l'idée qu'il faut persévérer malgré les difficultés? Qu'il faut faire face à une société compétitive où il faut prendre des risques? Motivent-elles assez les élèves? Et, dans le cas des garçons, qui sont plus susceptibles d'avoir des difficultés, l'école leur est-elle adaptée? Vous savez, il y a trois grands enjeux à surveiller de près dès le plus jeune âge: le langage, la lecture et le comportement. Et je dis toujours que la qualité d'une école ne pourra jamais être supérieure à la qualité d'un enseignant. Autrement dit, pour s'attaquer à ces problèmes, il faut des modèles, et il faut que ces modèles reflètent la réalité des jeunes: il faut notamment davantage d'hommes dans l'enseignement. Et finalement, la persévérance et la reconnaissance sont à la base de la confiance que l'enfant développera. Cette histoire l'illustre bien: aux États-Unis, un service de police tient chaque année un encan de bicyclettes volées et retrouvées. Lors d'un de ces encans, un jeune garçon démarre chaque mise à un dollar. Bien évidemment, il ne remporte jamais le lot. Un policier remarque que le garçon semble particulièrement excité lorsque vient le tour des vélos de route, et il décide de garder le plus beau pour la fin. Lorsqu'il le met aux enchères, le petit garçon mise son dollar une fois de plus. Le policier se retourne vers l'enfant et dit: «Seize dollars. Adjugé au jeune homme.» Le petit s'avance, réunit ses pièces et les donne au policier, qui complète la somme de sa poche pour que le total arrive à

16 dollars. Le garçon repart avec son vélo et prend le policier dans ses bras. Cette histoire illustre bien la persévérance dont a fait preuve le jeune homme et la reconnaissance de cette persévérance par le policier. Et c'est cela dont les jeunes ont besoin.

POUR ALLER PLUS LOIN

Sur la question de la persévérance, le livre *Persévérance*, d'Égide Royer, publié aux éditions École et comportement en 2015, vous aidera à mieux comprendre comment permettre à chaque enfant de développer son plein potentiel tout en tenant compte de la réalité de l'éducation d'ici.

STEVE JOBS
RÉUSSIR DANS L'ÉCHEC

L'histoire de Steve Jobs est fascinante. Considéré par plusieurs entrepreneurs comme un génie, il a été nommé en 2009 par le magazine *Fortune* « manager de la décennie ». Pourtant, son parcours en dents de scie comporte des échecs marquants. Issu d'une famille modeste, il a très vite décroché de l'université et n'a donc pas obtenu de diplôme. Après avoir créé Apple, il a été, en 1984, écarté des décisions par son propre président et ses actionnaires, qui l'ont forcé à démissionner de sa propre entreprise. Il y reviendra cependant en grande pompe en 1997, 12 ans après son départ, pour « sauver » l'entreprise de gros problèmes de vision et d'image. Atteint d'un cancer incurable, il travaillera jusqu'au bout, faisant l'éloge de l'échec dans sa propre réussite.

ÊTRE
DÉTERMINÉ

ALEXANDRE ROBERT

CHEF D'ENTREPRISE,
FRENCHIE'S,
DIVISION DE JCORP

Le taxi me dépose devant un grand bâtiment d'une zone industrielle
de Saint-Laurent. Nous sommes chez JCorp, un important fabricant
de vêtements sous licence. À la réception, on me fait signe
qu'Alexandre arrivera d'un moment à l'autre. Je m'installe sur le sofa
en cuir noir, entre une figurine grandeur nature de Spider Man et
un Mickey Mouse qui me sourit béatement. Alexandre fait partie de
la troisième génération de la famille Croteau. C'est son grand-père,
Jean-Noël Croteau, qui a fondé, en 1944, les magasins l'Aubainerie
à La Tuque, en Mauricie. Sa voie était donc toute tracée ,et pourtant,
il n'en a fait qu'à sa tête ; aujourd'hui, il est l'un des seuls membres
de sa famille à ne pas travailler dans l'entreprise familiale, mais
il en est devenu un fournisseur.

J'ai rencontré Alexandre durant une conférence que nous avions organisée au bureau. Nous lui avions demandé de venir parler d'une devise qui l'inspirait dans sa vie. La sienne tient en quatre mots : « *"You go, you get."* Cela guide toute ma vie. Pour finalement réussir, il faut avoir confiance en soi, essayer et ne pas avoir peur de se faire dire non. J'ai rencontré ma conjointe de la même façon ! Je l'ai aperçue dans une rencontre d'affaires et je suis revenu plus tard sonner à son bureau pour lui laisser ma carte. Elle l'a prise gentiment, m'a fermé la porte au nez, mais m'a tout de même appelé ! Aujourd'hui, non seulement on est encore ensemble, mais on travaille ensemble. ». Le discours d'Alexandre m'a tout de suite fasciné. Comment peut-on avoir tant confiance en soi ? Comment arrive-t-on à ne pas prendre un non pour un non, à revenir à la charge jusqu'à réussir à convaincre ? Dans un monde des affaires de plus en plus compétitif, son approche semble simpliste, mais pourtant, elle fonctionne. Et l'échec, lui, devient presque un jeu.

Dès son plus jeune âge, Alexandre baigne dans le commerce : « Tous les frères et sœurs, cousins ou cousines travaillaient ou tenaient un magasin l'Aubainerie. J'ai grandi dans une famille de commerçants et j'ai compris rapidement que je pouvais gagner de l'argent avec un peu d'imagination et d'organisation. » Entrepreneur dans l'âme, dès l'âge de 10 ans, il propose ses services au voisinage pour tondre les pelouses et se faire un peu d'argent. « Ça fonctionnait plutôt bien ! J'engageais des amis pour m'aider, je leur donnais du travail et je prenais une cote sur leur rétribution. » Dans les réunions de famille, on parlait bilan, chiffres et vêtements. « Je savais lire un bilan financier à 15 ans. Tout ce que je voulais, c'était travailler et gagner de l'argent. » Mais sa mère, membre de la famille Croteau et propriétaire d'un magasin, a exigé qu'il poursuive ses études avant de consacrer tout son temps au travail : « La condition pour que je travaille à temps plein, c'était que j'aie un diplôme en poche. Alors, j'ai pris un raccourci et j'ai fait un diplôme d'études professionnelles en comptabilité, parce que je n'aimais pas vraiment les études. » Il commence à travailler dans une boutique en plus de l'école, mais pas dans le giron de la famille : « Ma mère ne voulait pas m'offrir le salaire que je pouvais avoir ailleurs. Alors, je suis parti. » Il obtient son diplôme et commence à travailler pour sa mère au sein du groupe familial. « J'avais 17 ans, ma mère me payait 18 000 dollars par année, et je devais travailler dans l'entrepôt le jour et en boutique le soir. » Cela lui a permis de connaître tous les rouages du commerce familial. Ce n'est pas parce que sa famille détenait une chaîne de magasins qu'il n'a pas dû commencer au bas de l'échelle.

Parallèlement, il se marie à 19 ans, et sa première fille voit le jour alors qu'il a 21 ans. « J'étais devenu gérant du commerce et je me suis rapidement mis à apprendre les achats. Un jour, lors du congrès annuel de la famille, j'ai proposé une idée : et si nous fabriquions nos propres vêtements pour mieux contrôler les coûts et la distribution ? » L'idée séduit d'emblée et il fait un premier essai de production avec l'entreprise dont il dirige aujourd'hui une filiale. Alexandre sent qu'il peut aller plus loin, il a plusieurs idées de collections pour l'Aubainerie. « Malheureusement, l'entreprise familiale n'était pas structurée pour en faire davantage. Si je voulais amener mes idées ailleurs, je n'avais d'autre choix que de le faire à l'extérieur du groupe. J'ai pris conscience que j'avais un travail et un avenir en or assuré avec un super plan de retraite, mais que je n'étais pas vraiment heureux... Il me manquait quelque chose. Je voulais être fabricant de vêtements. C'était ça, mon grand rêve!» Il demande un congé sabbatique d'un an à sa mère pour tenter un nouveau projet. «Je suis allé rencontrer les jumeaux fondateurs de l'entreprise JCorp et je leur ai proposé de créer une filiale pour pouvoir réaliser mes idées de collections. Ils ne parlaient pas français, et moi, pas un mot d'anglais. On a quand même réussi à s'entendre! Ils ont acheté mon enthousiasme et mes idées.» Il conserve cependant son plan B familial. «Je lâchais tout de même un beau plan de préretraite. Mais, à bien y réfléchir, j'avais besoin de changement. J'avais 26 ans, je venais de divorcer et je ne me sentais pas libre de faire ce que je voulais.» Alexandre se sent profondément entrepreneur et décide donc de se lancer.

DE WALMART À VÉRO

Lorsqu'il arrive chez JCorp, il commence très vite à créer de nouvelles collections de vêtements: «Comme j'étais auparavant acheteur pour l'entreprise familiale, je savais très bien ce que voulaient les clients et ce que les fournisseurs ne nous proposaient pas. Alors j'ai décidé de créer plusieurs nouvelles collections, inspirées de marques du moment, comme Abercrombie & Fitch, ou encore de grands courants, comme celui du yoga avec Lululemon.» Il devient ainsi un des fournisseurs de sa propre famille: «Chez l'Aubainerie, j'étais traité comme n'importe quel autre fournisseur. Je devais convaincre le comité de direction d'acheter les produits que je faisais fabriquer. » Il approche également d'autres grandes entreprises implantées au Québec, dont Walmart, qui cherche à vendre une collection particulière au marché du Québec. « J'ai demandé un rendez-vous et je me suis retrouvé à Toronto, ne parlant pas un mot d'anglais, pour vendre une collection ! Malgré mon anglais, je les ai convaincus que j'allais fabriquer des vêtements spécialement conçus pour eux et pour le marché québécois. Et ça a fonctionné, nous avons vendu la collection pendant trois ans. » Après quelque temps, il a décidé, d'un commun accord avec sa famille, de quitter le groupe familial pour se consacrer entièrement à son nouveau projet. Il devient alors PDG de la division Frenchie's (un nom d'entreprise qui vient de son surnom dans le milieu anglophone) : « Je dis PDG, mais, dans le fond, je suis producteur de guenilles, c'est ça mon titre ! »

Il se lance alors dans la production de collections de vêtements de célébrités : « Ça permettait de propulser la marque rapidement, en profitant de la notoriété de la vedette. » Il commence avec le rappeur américain Nick Cannon, puis l'athlète olympique canadien Bruny Surin. Rapidement, il comprend que pour toucher le cœur des Québécois, il lui faut trouver une vedette bien d'ici. « Je cherchais quelqu'un ayant un gros impact. J'avais deux choix dans ma tête : Guy A. Lepage ou Véronique Cloutier. Et j'ai choisi Véro. Je trouvais qu'elle représentait bien la femme moderne, accessible, proche des gens. » Alexandre demande alors à l'un de ses employés de décrocher un rendez-vous. « Pas de réponse. Je ne comprenais pas, alors j'ai moi-même décroché mon téléphone, mais je n'ai pas eu plus de succès. » Véro ne semble pas dispo-

sée à le rencontrer, enfin en apparence. Il n'en reste pas
là : « Je me suis pointé à son bureau avec deux cafés et
j'ai demandé à parler à quelqu'un. La réceptionniste m'a
dit que ni Véro ni son assistante n'étaient là. Alors j'ai
attendu. » Ce jour-là, personne ne s'est pointé. Mais le
lendemain, Alexandre reçoit un appel : « C'était Sandra,
l'adjointe de Véro. Je lui ai parlé de mon idée, qui était de
présenter une ligne Véro à l'Aubainerie. » L'idée fait son
bout de chemin, mais il faudra quelques rencontres avec
Véronique Cloutier pour la convaincre qu'une collection
accessible au plus grand nombre serait bénéfique pour
les deux parties. « Elle aimait l'idée, alors la convaincre
n'a pas été si difficile. »

Pour Alexandre, qui a appris à persévérer pour avoir
ce qu'il voulait, l'absence de réponse à une demande de
rendez-vous n'est pas un non… ni un échec ! Mais il
n'imagine pas encore que le vrai problème n'est pas là où
il pense : « Lorsque j'ai rencontré ma famille à l'Aubainerie pour leur parler de ce projet, tout content que je fusse,
la réponse a été assez claire : non. Personne n'y croyait,
et moi, je ne m'attendais vraiment pas à ça ! Je ne leur en
avais même pas parlé avant parce que j'étais sûr que
c'était l'idée du siècle ! » Ce non du giron familial, Alexandre n'en a que faire : « Je savais que mon idée était
bonne. » Il n'abandonne pas. L'Aubainerie n'en veut pas ?
Pas grave, il va tout de même de l'avant et propose l'idée
à d'autres chaînes de magasins. Trois lui offrent un
contrat, mais aucune proposition ne l'intéressait vraiment : l'un voulait faire de la collection Véro une collection haut de gamme, ce qu'Alexandre ne voulait pas, et
les deux autres proposaient des volumes de production
trop bas. « Je suis retourné voir ma famille plusieurs fois.

J'ai insisté. Après six mois d'allers-retours et de non, ils ont finalement décidé d'aller de l'avant. J'avais réussi à les convaincre à force de conviction. » Et l'Aubainerie va dire oui en grand : la première gamme a été lancée quelques mois après, et en 10 jours, toute la collection était épuisée. « Le succès a été fou ! » Alexandre avait anticipé tout le battage médiatique autour d'une telle nouvelle : « Véro qui a une collection de vêtements dans un magasin comme l'Aubainerie, c'est de prime abord assez surprenant. Quand on en a fait l'annonce, on en a tellement entendu parler dans les médias que j'avais l'impression qu'on était partout. » La collaboration entre Véronique Cloutier et l'Aubainerie continue et reste à ce jour un succès de ventes et de popularité qui ne se dément pas. Alexandre considère que la notoriété de Véro et celle de la bannière de vêtements sont complémentaires. Pour lui, la réussite de ce projet tient à la fois à une certaine forme d'arrogance et à sa persévérance. « En affaires, peu importe ce que l'on vend, à partir du moment où l'on croit à un projet, il ne faut jamais lâcher. Sinon quoi ? On attend que les autres réalisent nos rêves à notre place ? » Les mois pendant lesquels le projet a été refusé l'ont-ils découragé ? « Je n'ai jamais remis en question mon idée, qui, selon moi, était bonne. Je me suis juste dit que je n'avais pas été assez convaincant. Alors j'ai travaillé plus fort pour leur montrer que c'était un projet qui pouvait fonctionner. »

On ne peut pas dire qu'Alexandre semble avoir connu de gros échecs, mais cela reste une question de perception. Et si on peut lui attribuer une part de chance, son optimisme et sa persévérance y sont pour beaucoup dans ses succès. Signe d'un entrepreneur qui n'abandonne jamais, l'aboutissement de ses projets tient d'abord à son intime conviction que ses idées sont bonnes.

Cependant, pour lui, l'échec de certaines de ses idées est quotidien : « Je me fais dire non souvent, mais je ne pense pas pour autant que mon idée n'est pas bonne. Je me dis plutôt que je n'ai pas trouvé la bonne personne.

Parfois, bien sûr, l'idée est mal exprimée, mal structurée, mais cela m'incite simplement à repartir de la base et à essayer de rendre le tout plus intéressant, plus indispensable. » Et des idées, Alexandre Robert en a plusieurs autres qui n'ont pas encore trouvé preneur. « J'ai l'idée d'une collection de sous-vêtements pour la communauté LGBT, et j'aimerais que Madonna en soit l'ambassadrice. Jusqu'à aujourd'hui, personne n'a encore accroché. Mais je ne désespère pas, l'idée est dans un tiroir. » Selon lui, l'important est de ne pas tout miser sur une idée, mais d'en avoir plusieurs et de prendre le temps de bien les analyser pour pouvoir les vendre : « Certaines idées se pensent en 10 minutes, d'autres en plusieurs mois, voire plusieurs années. » Cette confiance, c'est selon lui sa première force, et c'est l'atout de bien des entrepreneurs. « Bien sûr, les entrepreneurs connaissent des expériences. Je dis expériences parce que, pour moi, c'est ce que représente un échec : c'est d'abord un apprentissage. L'échec véritable serait d'en rester là, de ne pas persévérer. »

SE LANCER

CHRISTIANE GERMAIN

COPRÉSIDENTE,
GROUPE GERMAIN

Le quartier industriel de Griffintown, à Montréal, est le nouveau coin
des passionnés de déco et de restaurants branchés. C'est là qu'on
trouve, pas très loin du canal de Lachine, le nouveau concept ALT
développé par le groupe Germain. Des hôtels design, mais abor-
dables. Quelques étages au-dessus des chambres se trouve le quartier général du groupe, qui possède des hôtels un peu partout au
Canada. C'est là que Christiane Germain m'a donné rendez-vous
par un après-midi de printemps. Pendant que je l'attends dans
la petite salle vitrée qui donne sur le bâtiment Farine Five Roses,
emblème de l'horizon montréalais, j'observe le mur des distinctions
qui lui ont été décernées par des universités, des chambres de
commerce ou des offices de tourisme. Quand on pense à une réussite éclatante dans le monde de l'hôtellerie au Québec, Christiane
Germain est une incontournable. En faisant quelques recherches
dans Internet, je suis tombé sur une conférence dans laquelle elle
évoquait une société qui valorise trop la réussite et ne permet pas
assez l'échec. Ça m'a intrigué et j'ai voulu connaître son histoire.

Christiane Germain considère que son parcours est atypique, à l'image de celui de bien des entrepreneurs : «J'étais une enfant un peu rebelle, j'avais un côté ténébreux.» L'école, très peu pour elle. «Je ne me réalisais pas vraiment dans mes études. De caissière de supermarché à serveuse de restaurant, Christiane Germain s'accomplissait en marge des bancs d'école : «Je me suis rapidement désintéressée des études, dès le début du cégep en fait.» À peine quelques semaines après avoir commencé ses études en lettres au Cégep de Sainte-Foy, elle décroche. Elle l'annonce à son père, qui lui demande de travailler si elle ne veut plus étudier. «Ça m'arrangeait bien. J'ai décroché un poste à la Banque provinciale (devenue la Banque Nationale). J'ai travaillé là un peu moins d'un an, et c'était une forme d'accomplissement parce que j'étais indépendante financièrement, ce qui a toujours été un besoin très fort chez moi.» Et puis un jour arrive un nouvel employé qui occupe le même poste et qui a le même profil qu'elle. Christiane Germain découvre alors que ce dernier gagne plus qu'elle : «Je suis allée voir mon boss et je lui ai demandé pourquoi, pour le même poste, lui gagnait 103 dollars par semaine alors que je n'en gagnais que 72.» Son directeur lui donne deux raisons : la première, c'est que son collègue était un homme. Et la seconde, qu'il avait fini son cégep. «J'étais furieuse. Et puis c'est là que je me suis dit que si je ne pouvais pas devenir un homme, je pouvais au moins finir mes études.» Son père étant dans la restauration, elle avait, plusieurs étés durant, travaillé pour lui. Elle décide donc d'étudier en hôtellerie, mais de le

> **«Il n'y a aucun secret pour réussir. C'est le résultat de la préparation, le travail acharné et l'apprentissage de l'échec.» — Colin Powell**

faire à Toronto pour apprendre l'anglais. Son diplôme en poche, elle est engagée dans une entreprise de restauration américaine et plie bagage pour San Francisco. Pendant ce temps-là, son père, toujours à Québec, achète un restaurant et lui propose de le gérer. «D'abord, je ne voulais pas. Et puis j'ai accepté, mais je voulais vraiment pouvoir le faire en toute indépendance. Et il a respecté cela.»

PREMIERS ÉCHECS, PREMIÈRES LEÇONS

Ce succès pousse Christiane Germain et son frère à ouvrir un deuxième restaurant : «On a acheté le Saint-Honoré, à Québec, et on a rapidement eu le même succès qu'avec le Cousin Germain. On était sur une lancée, on se pensait invincibles.» Forts de leur expérience, ils décident d'ouvrir un troisième restaurant, dans lequel ils investissent beaucoup d'argent, notamment dans le concept et dans le décor. Tout ne se passe pas comme prévu : «La formule qu'on avait mise en place n'a pas fonctionné. On a changé plusieurs fois, sans plus de succès. Bref, cela nous a coûté cher, et on en a tiré de bonnes leçons que l'on applique encore aujourd'hui.» La première étant qu'il ne faut pas aller trop vite : «On n'était pas assez solides pour s'occuper du troisième établissement aussi bien que des deux premiers. Je suis de l'école qui dit que si tu veux que ça fonctionne, il faut que tu t'investisses. La seconde est qu'il faut bien s'entourer et connaître ses limites. Il faut savoir choisir ses projets, et parfois dire non!» L'échec de ce restaurant ne décourage pas pour autant les deux associés, qui y ont vu une façon d'apprendre : «Oui, on a perdu de l'argent, mais on avait surtout deux beaux succès qui nous ont poussés à aller plus loin, à ne pas nous décourager. Si on s'était laissé décourager par un échec, on ne se serait pas lancés en affaires du tout!»

Après la restauration, Christiane Germain et son frère ouvrent leur premier hôtel, le Germain, à Québec, qui deviendra une chaîne de plusieurs hôtels à travers le Canada. Dans ce nouveau projet, ils ont connu leur lot d'épreuves : l'achat de l'auberge Hatley, qui a brûlé en mars 2006, a été un projet difficile pour la famille Germain : «Il nous sortait de notre zone de confort et nous a fait perdre beaucoup d'argent, en dehors du fait que l'auberge a brûlé.» Pour Christiane Germain, qui tire encore aujourd'hui de ses insuccès passés de grandes leçons pour son entreprise, on ne valorise pas assez l'échec, qui «pourtant crée des possibilités incroyables. C'est à ce moment qu'on a compris notre mission et la zone à l'intérieur de laquelle on pouvait jouer et créer. Et l'auberge Hatley en était loin.» Avec l'échec vient le fait d'essayer, d'aller de l'avant et de prendre des risques. «Surtout en hôtellerie, il faut savoir se lancer même si tout n'est pas prêt ou parfait. Si on attendait vraiment que chacun de nos hôtels soit parfaitement fini dans les moindres détails avant d'ouvrir, ils ne verraient jamais le jour. On s'améliore en cours de route.» Ce principe du «risque calculé», de nombreux entrepreneurs l'appliquent instinctivement : «Quand on me demande des conseils pour bâtir une entreprise, je ne sais pas trop quoi répondre. Moi, encore aujourd'hui, je garde la tête froide par rapport à notre succès. Rien n'est acquis. Nous apprenons encore beaucoup. » Mener plusieurs projets de front et avoir des plans B, cela aide aussi considérablement à passer au travers des échecs du quotidien : « Nous, on s'accroche à nos bons coups, on apprend de nos erreurs, et l'échec ne nous a jamais fait baisser les bras, bien au contraire. »

LE SUCCÈS ET L'HUMILITÉ

Aujourd'hui à la tête d'une entreprise prospère et florissante qui a ouvert dans les dernières années une nouvelle chaîne axée sur le design accessible, Alt Hôtels, Christiane Germain reste humble : « Cela m'arrive souvent de ne pas réussir des choses ! » Le goût de l'aventure est pourtant toujours aussi fort : « Si un nouveau projet excitant voit le jour, je veux y participer. J'aime gérer les hôtels et les marques que nous avons, mais je veux aussi participer à de nouvelles choses. » Le défi principal ? Faire face à la pression du temps, plus qu'à celle de l'échec : « J'ai encore envie de faire beaucoup de choses, de réaliser beaucoup de projets, et c'est cette pression du temps qui passe qui me pousse à en faire davantage. »

Si Christiane Germain a aujourd'hui trouvé sa voie en tant qu'entrepreneure, elle déplore cependant un système scolaire qui ne permet pas d'échouer et d'apprendre de ses erreurs : « À l'école, tout est évaluable sur la base des notes. Moi, j'ai coulé ma chimie en secondaire 4 et j'ai dû changer d'école à cause de cela. Je me suis sentie comme une moins que rien. Est-ce vraiment la bonne façon de former des adultes à leur vie future, laquelle sera, elle, parsemée d'échecs et d'apprentissages? En ce qui me concerne, je ne le crois pas.» Ce manque de formation quant à la nécessité d'échouer (ou de ne pas tout réussir) est de plus en plus pointé du doigt par des entrepreneurs qui réussissent aujourd'hui. Christiane et son frère Jean-Yves sont allés plusieurs fois parler de leur parcours à l'École d'entrepreneurship de Beauce. Ils souhaitaient transmettre leur passion de l'entrepreneuriat et éveiller les jeunes à l'importance de l'apprentissage dans l'action.

«Oui, nous avons pris des risques. Oui, certaines aventures ont été plus difficiles que d'autres. Mais je ne me suis jamais assise le soir en me demandant comment j'allais passer à travers. J'ai toujours été dans l'action, même dans les moments de grands défis. C'est aussi cela être entrepreneur. Ce qui compte, c'est le parcours de vie, et dans ce parcours, les échecs sont inévitables. Il ne faut simplement pas rester là-dessus.»

Quand le groupe Germain a décidé d'ouvrir un hôtel à Calgary, le contexte économique difficile a été un facteur très stressant pour l'équipe: «Quand on a ouvert, en 2010, après des années de travaux, on a eu des moments particulièrement durs, cela n'a pas décollé tout de suite. Mais on a continué à faire ce qu'on avait fait ailleurs au Canada: donner le meilleur de nous-mêmes.»

L'argent est-il le symbole ultime de la réussite? Non, selon Christiane Germain, qui insiste, comme beaucoup d'entrepreneurs, sur l'importance de faire ce que l'on aime: «Cette passion des projets et des gens, c'est ce qui me motive à travailler. Bien sûr, l'argent est important, mais faire seulement de l'argent n'est pas une réussite

SE LANCER

en soi pour moi. » Finalement, être entrepreneur, c'est un style de vie, une façon de concevoir son travail et ses projets. « Ma vie n'a jamais été un quart de neuf à cinq. Il faut vraiment pouvoir garder un recul devant nos succès et nos échecs pour qu'ils ne changent pas notre rapport au travail. » Et ce style de vie semble avoir été contagieux, parce que plusieurs enfants de la famille se sont aujourd'hui joints au groupe pour continuer l'aventure...

Le parcours de Christiane Germain a été marqué par sa persévérance et sa prise de risque en affaires. C'est cette prise de risque, certes mesurée, qui lui a permis de se lancer dans des projets audacieux qui sortaient, à l'époque, des sentiers battus. On ne peut pas non plus ignorer que la réussite d'une femme dans un contexte d'affaires encore très masculin à l'époque (surtout dans le milieu de l'hôtellerie) est une histoire inspirante pour bien d'autres aujourd'hui : « Les femmes ont encore plus peur de se tromper que les hommes. Bien sûr, je généralise, mais j'ai vu tant de femmes sortir de l'école avec des notes irréprochables et se retrouver dans un monde du travail où elles avaient constamment peur de l'échec parce que les règles du jeu avaient changé. Il y a encore beaucoup de chemin à faire de ce côté-là. » Un chemin dont Christiane Germain aura sans aucun doute pavé la voie.

MARTIN JUNEAU
Chef et copropriétaire, Pastaga,
Cul-Sec, cave et cantine,
Monsieur Crémeux, Le Petit Coin

P. 72

HICHAM RATNANI
Fondateur,
Frank & Oak

P. 52

ETHAN SONG
Fondateur,
Frank & Oak

P. 52

ERIK GIASSON
Cofondateur, Le studio
de yoga Wanderlust

P. 42

NICOLAS DUVERNOIS
Fondateur, Pur Vodka

P. 114

ÉGIDE ROYER
Professeur en
adaptation scolaire

P. 162

**JEAN-FRANÇOIS
BOUCHARD**
Fondateur et associé,
Sid Lee

P. 140

CHRISTIANE GERMAIN
Coprésidente, Groupe
Germain

P. 184

ROSE-MARIE CHAREST
Psychologue

P. 26

CAROLINE NÉRON
Fondatrice,
Caroline Néron

P. 104

DIANE PACOM
Sociologue

P. 90

JOCELYN MACLURE
Philosophe

P. 126

ALEXANDRE ROBERT
Chef d'entreprise,
Frenchie's, division
de JCorp

P. 176

FRANÇOIS DELORME
Économiste

P. 62

**CHRISTIANE
CHARETTE**
Animatrice
et productrice

P. 150

MERCI(S)

Si écrire un livre peut sembler une aventure solitaire, dans mon cas, c'est aussi le fruit de discussions, de conseils et de rencontres marquantes.

Merci tout d'abord à Caroline Jamet, des Éditions La Presse, de m'avoir à nouveau fait confiance pour ce projet. Merci à Jean-François Bouchard pour son écoute et ses précieux conseils, merci à Nathalie Guillet pour sa patience et sa grande attention et à l'ensemble de l'équipe des Éditions La Presse pour son professionnalisme et sa disponibilité.

Pour leur temps précieux et ces rencontres passionnantes, merci a tous ceux qui ont fait ce livre : Rose-Marie Charest, Égide Royer, Diane Pacom, Jocelyn Maclure, François Delorme et les entrepreneurs et personnalités Erik Giasson, Caroline Néron, Alexandre Robert, Christiane Germain, Ethan Song et Hicham Ratnani, Martin Juneau, Cath Laporte, Nicolas Duvernois, Christiane Charette, Jean-François Bouchard.

Merci à Thomas Leblanc et Scot S. Blakeley.

Merci à Emmanuelle Rouillard et Pierre Gins de chez Direction Communications et à l'ensemble de l'équipe Infopresse. Merci également à Mario Mercier, Simon Roy et Mélanie Rudel Tessier de chez Compagnie&cie.

Finalement, merci à ma famille et mes amis pour votre soutien et vos encouragements. Vous vous reconnaîtrez.

Et vous, lecteurs, je serai ravi d'entendre vos impressions et d'échanger avec vous avec le mot-clic #echec.

Arnaud

Twitter : @arnaudgranata
www.arnaudgranata.com